LAKELAND WORDS.

"The native phrase fresh gathered from the fells."

B. KIRKBY

LAKELAND WORDS.

A COLLECTION OF

Dialect Words and Phrases,

AS USED IN

CUMBERLAND AND WESTMORLAND,

WITH

ILLUSTRATIVE SENTENCES IN THE NORTH
WESTMORLAND DIALECT.

BY B. KIRKBY.

WITH PREFACE

BY

PROFESSOR JOSEPH WRIGHT, M.A., Ph.D.

OXFORD.

EP Publishing Limited
British Book Centre, Inc.
1975

First published by the author in 1898

Republished 1975 by
EP Publishing Limited
East Ardsley, Wakefield
West Yorkshire, England

and

British Book Centre, Inc.
996 Lexington Avenue
New York, NY, USA

ISBN 0 7158 1125 8 (UK)
ISBN 0 8277 4157 X (USA)

Please address all enquiries to
EP Publishing Limited (address as above)

Printed and bound in Great Britain by
REDWOOD BURN LIMITED
Trowbridge & Esher

"Whate'er of good the old time had was living still."

Whittier.

———

TO THE WANDERING SONS AND DAUGHTERS
OF THE LAKE COUNTRY,
AND WHO, WHEREVER THEY ARE,
STILL HARBOUR A LOVE FOR THE SOUND OF
"T' AULD TWANG,"
THIS COLLECTION IS RESPECTFULLY DEDICATED.

———

"Be it a weakness, it deserves some praise,
We love the play-place of our early days;
The scene is touching, and the heart is stone
That feels not at that sight, and feels at none;

. . . . .

This fond attachment to the well known place,
Whence first we started into life's long race,
Maintains its hold with such unfailing sway,
We feel it even in age, and at our latest day."

Cowper.

"In the power of saying rude truths, sometimes in the lion's mouth, no men surpass them."

———

"The more hearty and sturdy expression may indicate that the savageness of the Norsemen was not all gone."

Emerson : National Traits.

———

"That man speaks
Is nature's prompting, whether thus or thus
She leaves to you, as ye do most affect it."—*Dante.*
(Quoted from *Farrar's Chapters on Language.*

PREFACE.

It is not necessary to speak many words in praise of such an excellent book as " Lakeland Words," it speaks for itself, and must appeal to any and every Englishman who loves his country and his native mother tongue.

It has often been said that the vocabulary of the ordinary rustic is but poor and scanty, and it is just such books as Mr. Kirkby's which show how entirely false this statement is. Mr. Kirkby, besides, is not a mere collector, come down from London with his carpet bag to spend a few weeks in the north to pick up material for "copy," but he has been born and bred in the country of which he writes, and he knows and understands the dialect as no one from outside could. I have had innumerable proofs of this from the vast amount of most valuable material he has contributed to the English Dialect Dictionary. There is a freshness and naturalness in his material which is not found in books written by people imperfectly acquainted with the people and the district.

In these days when the Board Schools teach the children " Standard English," and when locomotion is so easy that people readily migrate from one part of the country to another, dialects are rapidly decaying and losing their individuality, and it will soon be impossible to compile local glossaries. It is, therefore, not too much to say that Mr. Kirkby deserves the hearty commendation and thanks of every lover of English, for thus handing down to posterity such a faithful portrait of the language of the Lakeland district, in all its native freshness and richness.

JOSEPH WRIGHT.

OXFORD, JANUARY, 1899.

"Man changes his dialect from century to century."

Carlyle.

" Language is a solemn thing I said. It grows out of life—out of its agonies, and ecstacies, its wants and its weariness. Every language is a temple in which the soul of those who speak it is enshrined. . . . . Foreigners who have talked a strange tongue half their lives return to the language of their childhood in their dying hours. Gentlemen in fine linen, and scholars in large libraries, taken by surprise, or in a careless moment, will sometimes let slip a word they knew as boys in homespun, and have not spoken since that time, but it lay there under all their culture. That is one way you may know the country boys." . . . .

Oliver Wendell Holmes.

EXPLANATORY.

The following pages claim to do no more than to set forth some of our best known dialect words, and to somewhat explain or illustrate their use by a sentence in which the word is introduced. So may not only the word be preserved, but something also of unity of expression be maintained at the same time.

Much of the matter has gone through the pages of the *Penrith Observer*, in the form of weekly notes. These notes were subject to some criticism. They were the means of eliciting a good deal of help towards making the collection more complete and accurate.

The method of spelling was frequently commented upon as involving an unnecessary innovation. A short explanation will, it is hoped, enable the reader to grasp it. Take such words as *face*, *race*, *place*, with the long *a*. We pronounce them as *fi+as*, *ri+as*, *pli+as*, with a short *i* sound, and the *a* short as in *as*. Words like *master*, *plaster*, become *maister*, *plaister*, with the *a* sounded as in *pay*. The long *o* sound is a pet aversion. *Home* becomes *hi+am*, *boat* as if it were *boo+at*, *poke* takes the form of *poo+ak*. Such words as *post* prove our consistency and cause many a one to get laughed at for the hasty *o* we assign it just as if it were *copy*.

The deep sound of *oo* shows our perversity. For *ow* we give it place every time, *hoo, thoo, doon, noo, coo*, and just as readily depose it from its legitimate place in *boot, soot, nook, book*, which in turn become *bi+ut, si+ut, ni+uk, bi+uk*. *Go, going, gone*, we make into *ga* (when short), *gah, gahn, gi+an*, and in some extreme instances almost *garn*. Final *ing* is too affected for us, so we drop it and substitute *en*. *Quiet* we quietly convert into *whiat*, because *q* is a pet aversion in all places with us. To give a hint as to the cause of this does not come within our scope. But no one can come closely into contact with the dialect without being struck with this aspect of it. A word like *hope* we evade or turn it into *hooap* or *whop*, yet *daup, cauf, mope, crope*, show that we can master the sound if we wish, and stick to it. If we will not say *blue* except as *blew*, we make up for it in *hoo* and *noo*. If the *r* is our aversion, we can, as few others can, say *faddr, muddr, cluddr*.

Having banished the *ow* sound from most of its legitimate places in the language, we put it in by way of amends where we can by " any manner o' means " do so. Thus we have *bowt* for *bolt* and *bought*; *browt* for *brought*; *bowster* for *bolster*; *cowt* for *colt*; *thowt* for *thought*; *dowter* for *daughter*; and so on.

In the present work no attempt is made to explain or account for anything of a peculiar character in the dialect. If language grows out of life, we are justified in regarding ours as a type, and those who are most familiar with the life out of which it has grown, will be most likely those to regard it most leniently. They will know something of the social habits which the fair and market, the smithy hearth, the shoemaker's shop are dominating factors in forming. They will understand what it is to be concerned with cattle, and the elements, as others are with more mighty affairs. Out of the exigencies of ploughing, sowing, reaping, and gathering; of boon days and sale days; of shiftings and settlings; of hiring and term times they know what to expect and will not be annoyed by grossness, or deterred by affectations or their absence.

In these circumstances the word collector in Lakeland will find a favourable condition for his operations if he know how to go about it. Nor need he expect because so much of life is taken up with the " struggle for existence " that the gentler and humaner phase of it will not afford him specimens, "tender and true," as in the most refined circles.

An explanation is due to Cumbrians, who will find in this collection words they did not expect, and will find omitted those they had anticipated seeing. In many matters the two counties are indeed what they are often termed—sisters. The words have largely been collected in North Westmorland, but it must be borne in mind that Penrith, to many, is to all intents as much as if it were in Westmorland, and to have given one county only in the title would have been misleading and far from accurate. This observation will apply to "Kendal side" of Westmorland too.

Doctor Milner Fothergill says, "that up to Orton in Westmorland, the speech is that of Lancashire; beyond its scar it is that of Cumberland." The genial, hearty doctor was too generous, and Cumberland as well as Lancashire would disclaim his kindness. Likeness there is no doubt towards the north, or towards the south, as the case may be, and the fells mark a cleavage more distinct than some imaginary boundary of counties, yet Westmorland men will never be prepared to be so quietly effaced until a much greater extinction of dialect speech takes place than has yet been effected, much as latter-day influences have done towards modifying its most prominent features.

In the present work, such as it is, the help of Mr. Daniel Scott, editor of the *Penrith Observer*, has to be acknowledged, also that of "Northerner" in the same journal. The Rev. J. S. Davidson, the Rev. M. B. Parker, Mr. R. E. Leech, M.A., Mr. John Harrison, Mr. Jas. Rennison, Mr. Jos. Graves, Mr. Wm. Kerr, Miss Hunter, Miss Rudd, Mrs. Fauldrew, Mr. A. Whitehead, and Mr. C. R. Farrer, with a number of correspondents in various parts, whose names never transpired, have given generous help to make the collection as comprehensive as possible. Also a very able and representative body of critics was soon *en evidence* to see that it was as correct as possible. The Rev. Canon Thornley, the Rev. John Wharton, and Professor Joseph Wright, M.A., were amongst those to whose suggestions is due the fact of a permanent form being given to what at first was only intended as a passing notice.

To Mr. Wilson, of Kendal, I am under the special obligation of the adventurer who has help just when and where it is most wanted. From him it has ever been an easy and pleasant task to obtain advice and counsel without stint of pains or sympathy. With his aid and discrimination, many otherwise insurmountable obstacles have been overcome. Without his aid nothing of the present form could have been as much as attempted.

It is earnestly hoped that the rough and ready treatment of the subject herein attempted will not in any way interfere with any of the more thorough works dealing with the same subject now in course of preparation by those capable of treating it from all standpoints as specialists. Ours is the effort to present an inside view of the dialect, marred no doubt by the leanings of prejudice, and for its worst defects the only indulgence that is asked is that it may be judged with that consideration kept in mind. It is a lover's account, and as such must be excused.

B. KIRKBY.

Batley, 1898.

LAKELAND WORDS AND SAYINGS.

AARON'S ROD—It grows e' t' garden.

ABACK—Behind; in the absence of; over some land-mark or another. Thus, a cap hangs up aback o' t' door; a tale may be told about some one aback of his back; and another comes frae aback o' t' fells.

ABACK-O-BEYONT—The place from which comes nothing but mystery and terror for barns; neea body's bin an' come back to say whar it ligs.

ABIDE—Put up wi'; ah can't abide mucky fooak.

ABREED—Level, equal, broadcast. They war walken o' abreed.

ACOCK—Hay that is cocked up in "fiut cocks," or, " gurt cocks "; something that is set finely, and evenly balanced; ready and eager for a fratch; a hat put on sideways; put out of temper; glib.

ACOCKINECKS—Where most youthful jockeys make their first attempt at riding, namely, across the father's neck; and later on in life as a schoolboy's game. To ride acockinecks is regarded as fine enough for anyone.

ACOS—For the reason; because. "What for dud thoo punch at my shins? " "Acos Ah thowt Ah wad see what thoo wad say if Ah dud."

ACROSS—Met with. Ah com across an auld nebbur er tweea.

ACROOK—Crooked. When t' maut gits intul a chap's legs an' he gahs across t' rooad he's gaan acriukt.

ADDLE—Earn. In the sense of the word as now used in literature, "addle" has none but an exactly opposite meaning. To earn; to turn to good account; to make a living; it has nothing to do with barrenness, corruption, or rottenness. How Addle, Addlepate, Addle-head, Addle-brain, and so forth have sprung from so respectable an origin can only be conjectured.

ADDLIN', ADDLINS—Earning; wages. " Is ta addlin owt much? " " Siavin's good addlin." " His addlins divn't come to mich." " He taks miast of his addlins hiam tul his wife an' barns." Like Addle, Addlin', and Addlins are of good repute in Lakeland lore.

AFRONT—Before. He was on afront.

AFORE—In front of; before. A gurt dub o' watter afooar t' door. Winter's come afooar it time.

AFORETIME—Previously: the old days. They'd hed some bother afooartime about t' sheep an' t' dykes. Afooartime yan used ta be prood o' some good poddish fer yan's supper.

AFOREHAND—Done before; he had his rent ready afooar-hand.

AGREE—Amiss, crossways. T' auld piase-eggers wad sing :

> If ye give us nowt we'll tak nowt agree,
> But we'll gang and sail owld England's sea.

AGGLE AN' JAGGLE—To higgle over a bargain; a bit o' fendin an' priuvin' ower owt.

AGATE—Started; abusing; out of the way. " Hev ye gitten agiat mowin'?" T'auld beggar's allus agiat o' yan er anudder on us blackin' an' gaan on. Ye've gian a lang way agiat.

AGATEWARDS—Towards the gate. Said by some to be a relic from the times when savege dogs rendered it necess-ary for the visitor to be " set " by " t' fauld yat." Another and an older reason than savage dogs still keeps the cus-tom of " settin' yan anudder agateards " alive, and is likely to do, so long as lads and lasses care for one another's company.

AIBLINS—Possibly. Will ye gang o' Sunday? Aiblins ah may.

AH-WOOA-GE-HEDDER-COME-UP—A nag 'at doesn't understand it's orders is apt ta git t' whup. We yance watched a chap plewin, an' he said, " An-wooa-ge-hedder-come-up " till he was stalled, then he let flee wi a clot, coad t' nag a fiual, an' telt it ta liuk an see what seck wark it was makkin.

AHINT—Behind. Allus keep ahint a shutter. Thoo can git on ahint me an' hev a ride. We're a lang way ahint wi oor wark.

AJYE—O' yah side as some fooak weear their hats.

AIM, AIMED—Intend, intended. We didn't aim ye to know. Ah'd aimed ye to stop an' hev a cup o' tea.

AIR, AIRED—To warm or dry. Air t' bed; air mi shirt. A drop of aired milk.

AIRIN'—Showing off. He was arin' hissel oot in his majesty.

AKEEN—Related. They're nowt akeen ta yan anudder. Siam as Rag Mary, akeen ta o' t' gurt fooak.

ALLODIN—Not in regular employment, but looking for an engagement. This is a gay auld farrand word an' taks us back a lang way.

ALLY-COM-PANNY—A game.

> Rhyme—Ally-com-panny
> When 'll ta marry?
> When apples and peers is ripe
> Ah'll come ta thi wedden,
> Without any bidden,
> An' dance wi t' bride at night!

ALL-OWERISH—A feeling of general weakness or ailment. Ah nobbut feel a bit o' owerish ta-day, ah's o' ower alike.

ALLEY—An alabaster marble, with which boys plav. Hoo many marvels hes thoo ? Ten potteys and three alleys.

ALLEY—A passage between the rows of seats in a hall or building. We can walk doon t' alley.

ALAG—Leaning; on one side. That hoose side's varra mich alag. T'carful o' hay gat o alag. Set t'stee mair alag, i.e. give it a bit more " skatch."

ALAG—A " call " used when necessary to disturb a flock of geese.

ALLAY—Guarantee. Allay yer tired ? It is used frequently to affirm an answer that is anticipated.

AMPLE-ORDER—In perfect condition and ready. O's e' ample order fer t' weddin.

AMANG-HANDS—In the midst of other and various duties. We're thrang wi t' hay and howin' turnips amang-hands. She was weshen', an' biaken', an' singen' amang-hands fer t' barns.

ANEATH—Below. Price o' floor's a gay bit aneath what it yance was.

ANENT—Alongside. He could shear his rig anent a man. Directly opposite. We sat anent yan anudder.

ANO—Too; as well. Thee gang wi us ano.

ANKLE-BANDS, ANKLE-BELTS, ANKLE-STRAPS— Shoes or slippers provided with a strap to fasten around the ankle to keep them on. Fer dancin' in thers nowt better ner a pair o' ankle straps.

ANKLE-JACKS—Shoes that come over the ankle, and which have a long front quarter, like those worn by soldiers. He'd a pair o' ankle jacks fer t' Sundays.

ANGRY—Nay, nut mad, ner vexed, but inflamed an' sair like a kin, er a frozen teea. This word illustrates the divergence there is in the use of words in the literary and dialect senses.

ANTRES—In case ; providing. Tak yer top cooat antres it rains.

ANUNDER—Beneath. Did thoo see that fish gang anunder t' breea ?

A-NAG-BACK, A-FIUT—Are ye gaan a-nag-back, er ye'll gang afiut ? Riding or walking. Afoot is also often used to signify well, and up afiut.

APODE—Ah's warn't ; dare be bund ; daresay. Ye've hed some fash wi' that barn, Ah'll apode it ye hev.

APRIL-GOWK—April-fool. A person who is betrayed into some senseless errand, or action, and then informed that he's an April gowk and that it is the first of April.

APPLE-PIE-ORDER—Neatly arranged. We've o' e' apple-pie-order fer sitten doon ta t' tea.

ARCH-WHOL—A hole in the wall of a building in which sparrows build and light and air pass through.

ARK—Meal chest.

> Many hands mak' leet' wark
> An' many mooths a tium ark.

ARM-WHOL—The arm pits. Ah's as sair as can be i' t' arm-whol. The opening in a coat or waistcoat through which the arm is passed.

ARRALS—A skin disease, also known as ring-worm, and said to be contracted by contact with cattle. Ah've ı' arrals on mi arm, an' Ah want some copperas ta puzzen it wi'.

ARRANT—Thoroughly bad. He's an arrant auld slenk.

ARRAN'-WEB—Cobweb. T' baulks was hung wi' arran' webs.

ARR, ARR'D—Scar or seam left on the skin by a wound or disease. He'd a gurt ugly arr on his broo whar t' nag hat him. It maks fooak varra kenspeckle when they're seea pock arr'd.

ART—Quarter. What art's t' wind in? It's in a wet art. What art er ye frae? This yan's a gem o' purest watter an' varra near as auld as oor auld hills an' whols. Lang let it stop.

ARVAL-BREAD—Loaves distributed at funerals.

ARVAL-SUPPER—An entertainment or feast given at funerals.

AS TIGHT—As well. Thoo mud as tight whissle as sing.

AS LEAVE—As soon. Ah' as leave gang as stop.

AREED—Solve; guess. Areed me this riddlin.

ASS-TRUG—See ass-boord.

ASS—Ashes, an' ashes is burnt muck, cinders, er owt else 'at's bin throo t' fire.

ASS, AX—Ask. Ass that body fer a drink o' milk.

ASIDE—Near. Whar's t' cowrak? It's clooas aside o' ye.

ASIDE—Ta "ride aside" means to ride as t' ladies do—aside. Ta sit o' yah side o' t' nag nobbut; they've saddles a purpose fer t' job i' some spots.

ASK—An ask's a lizzard; ther's yan i' t' pond.

ASKATCH—In rearing a ladder against a wall if the bottom is set well from the wall "it's far eneuf askatch." One who stands with his feet apart, or walks with them well set out has plenty o "skatch."

ASS, ASSED, ASSINS—Them 'ats gaan ta git wedded know gaily weel, marry, what it is ta be assed. Ass some o' them, an' they'll liuk as sheepish as asses.

ASS-CAT—A chap 'at croodles ower 't fire when it's a bit cauld is an ass-cat. As grey as an ass-cat—*i.e.* a cat 'at cronks under t' ass-whol, an' gits mucky wi' burnt muck.

ASS-BOORD—A chap was tellin' anudder what a ass-boord is, an' he said it was a sooart of a wheel-barrow, nobbut it hed neea trunnle, neea legs, an' neea stangs tult, an' it was used ta gedder muck in. He mud a bin farder rang.

ASS-GRATE—An iron grate 'at fits t' ass-whol, an' keeps t' barns frae tummelin' in.

ASS-MIDDEN—T' heap o' burnt muck. Nearly ivvery hoose hes yan tul itsel, an' varra few fooak but sailors ivver git a mile away frae yan o' somebody's.

ASS-MUCK—Ivverybody knows what ass-muck is; it izzant up ta mich fer nowt.

ASS-NIUK—In miast hooses there's t' hood niuk, an' t' ass-niuk yut, but ther nut what they used ta be, an' ther gitten grand neeams for them. Ther's nin o' them can beat oors yut, we'll stick ta er awn auld ass-niuk a bit langer.

ASS-WHOL—T' gurt whol i' t' fleear whar t' burnt muck drops intul oot 'at t' fire.

ASSLE-TOOTH—A cruncher or molar is an assle-tiuth, an it's grand when yan o''them warks i' t' neet when yan sud be asleep.

ASSLE-TREE—Ivvr'y cart wheel has yan tul itsel, and revolves on it's awn assle-tree, an' that'll be what t' world gahs on it's awn axis for I expect.

ASSOON—To fo assoon 's a bad sign. It means yer wankly, or else ye've hed a gay hard knock ower t' cannister, an' it's miad ye faint, an' silly.

ASLANT—Sloping, it izzant thunner rain, it co's aslant.

ASTRADDLE—Astride, siam as Rag Mary used ta ride on a stick, an' somebody sed tul her, "What, yer ridin' ta-day, Mary?" "Aye," sez Mary, "but it's nobbut t' niam o' t' thing."

ASTOOP—Bent with age, pain, or labour. He begins ta gang sair astoop, is said with a sympathetic tone tnat often implies much when tokens of decay are discerned.

ASWINT—Streck across frae yah corner tul annuder, yan sometimes gahs aswint a pasture; an' yah auld chap used ta tell t' tial aboot anudder 'at 'cot his pie crust aswint an' t' maister tel't him he "was warse ner a ninny-hammer to cut his crust aswint."

ATTER—A spider.

ATTER-COB—A spider's web.

ATTER-MITE—A lal spider on t' watter.

AT, ET, IT, UT—That; who; which. That's t' rooad 'at leads ta Peerith. Yon dog's an auld slenk, 'et is 't. He went t' way 'it he thowt best. It izzant allus fer t' best 'ut yan does things.

ATWINE—Oot ov a streyt line, owder up a hill, er doon yan.

ATWIST—When yan's fishin' tome gits hankled siam as threed.

ATWEEN—Between. Nivver thee gang atween neeabody ats feiten, let them feit it oot says Ah.

AUMRY—The office or lodgings of the almoner; also the place where the alms are given; a pantry.

AVERISH—Greedy, or hungry and eating in a guiversome manner. Tak thi time an' divn't be seea averish.

AVISED—Black-avised like a man that gits oot o' bed on t' wrang side, or gets his fias smeared with grime. A good old standing phrase that often hits off a description when more refined expressions would fail.

AW-MACKS—Goodstuff of mixed varieties. A ho'perth o' aw-macks.

AWN, AWNY—The beard of barley, awny wheat, &c.

AWOVVER—An affirmation. Ah wadn't deea seea, awovver.

AWMUS—An awmus dish is what they tak t' toll in at t' market, but what aboot t' mooths like an awmus? Lads at t' skiul when they want ta beg a bite o' yan anudder's apple, er peer, as' fer an awmus. It's becos it's a sooart ov a takkin' an' givin' nowt back, like miast o' tolls, Ah reckon.

AWVISH—Seekly an' silly, like a fellow at's bin on t' rant.

AYONT—Beyond. We set him a lang way ayont t' fower rooad-ends.

AYE—Fer ivver an' ivver an' aye means a gay lang while.

AYE—Aye, whia, what noo? Aye of course means "yes," but it means a lot more. It asks questions and answers them, as well as puts them by. One well skilled in humanity's little traits tells us that the use of this monosyllable will stick to a man longer than any other, and he could locate a man's origin by it's use to a few miles. Aye 's a lal un, but it's a sticker.

BAIT—Grain ov a booard that's yah mak o' bait.

BACK-CAN—A can to strap on the back an' carry milk in.

BACK-END—That is autumn.

BACKIN—Cotton wool; cotton backin. Neea doot becos it does fer backin up hollow pleeaces. Ass a tailior or a manty-makker.

BACON-COLLOP—A bacon-collop an' a pint o' coffee—hoo's that fer a dish?

BACON-FLICK—A picture ta hing up in a chimly niuk. It's miad oot ov a pig's carcase when it's been fed weel an' butched.

BACK-SET—To throw backwards in growth or improvement. To be forced or fast. He gat cauld an' it gev him a back-set. We're back-set an' fooar-set, an' can't stir a pin.

BARK—Skin. T' sun's burnt o' t' bark off mi nooas.

BACK-SIDE—Behind the house. Come an' laik i' oor back-side. The hinder parts.

BASH—A nasty ugly wallop. It catcht me a bash fair i' t' ee.

BACON-STAVE—A plaster made from a bacon collop. Anybody wi a sair throat try yan, an' sleep wi' 't on.

BACKSTUN, BACKSTUN-CAKE, BACK'US—Ah fancy t' " bake-stone " 's aboot oot o' date, nobbut at haver-breed time, but a backstun-ciak 's as good, if it is biaked on t' girdle. Thers backs as briad as a backstun, an' mooths as wide as a backus door.

BAD—Past of bid. He bad a ten pun nooat fer t' Galloway.

BADGER—See batch-carrier. A buyer up of eggs an' butter.

BADGER—Brow-beat. He pot up wi' ther tricks as lang as ,they did nowt nobbut badger him.

BADGER—" As grey 's a badger " 's a common sayin' wi' them as hez nivver seen yan.

BAD-WORD—Abuse. He gat t' bad-word fra t' maister.

BADLY—Ill. As many a lad's bin wi' his first pipe o' bacca er pint o' yal. It's cappin how lads 'll punish thersels to " smell like a man," as yan o' them yance sed.

BAIN—T' nearest way to a place, or to do a job. It's as bain be t' rooad. That 'll be t' bainest way o' deein it.

BARKT—Bruised. Ah barkt mi shins again t' deur step.

BAIT—A meal, or refreshments. A scholar's lunch. To feed horses whilst they are working; or herd t' kye i' t' looanen's as they're garn tult t' paster, is ta let them bait.

BALDERDASH—Queer talk. Thoo talks nowt nobbut a heap o' balderdash. It izzant exactly leein', but riapin' on wi' a lot o kelderment 'ats neea truth it 't, an' less good.

BAWTY-BAWT—Dog name.

BAGS—Entrails.

BACK-WATTER—In financial straits. It's best ta keep oot o' back-watter. An' a mill wheel's i' back-watter when it's tail bund wi' a fliud.

BAG-'O-TRICKS, BOILIN', BUNCH, BUNDLE—These o' mean yah thing—an' that is o' t' lot. Git oot o' mi giat o' t' bag o' tricks on ye. They're varra oft used wi' nut mich sense at o'.

BAIRNEY, BAIRNISH—Old age childishness.

BAMBOOZLE—Kick't aboot an' bamboozl'd wi' iv'ry yan o' them. Miad gam on.

BAND—Tether. He's hed ower mich band.

BAND—A high place on a hill—Silver Band on Crossfell, Bowfell Band, &c.

BALKS—Thrown ower t' balks—ass'd ta' t' Kirk; spurr'd ; garn to be wedded.

BALKS-HEN—Whar t' hens roost.

BANDY-LEGGED—Short legged, and bowed.

BANE—Ah yance fand a lal bottle, an' t' auld woman said it hed rattan bane in. Ah guess it war puzzan.

BARE—Scrimpy ; hardly. It's bare weight. It's bare three mile ta Shap.

BARGEST—An uncanny visitant often talked about but seldom seen or heard. One who has the power of fore-telling the demise of others. One who makes an unearthly din. Shut up, thoo gurt bargest, thoo! Lal 'uns 'at's aboot ther teeth er oft telt ta be whiat an' gah ta sleep, er t' bargest 'll tak them, an' seea they allus think o' t' bargest as summat flaysome.

BARKEN—To clot like blood on a bandage, or to "set in" like dirt on the skin.

BARLEY—Ween a lad wants ta claim t' dumplin end he says, "barley me t' dumplin end, mudder," an' neea body else hez any chance tult. Ther's a lot a things i' this world 'at yan wad like ta barley.

BARNS—Youngsters.

BATE—To take from a stated price. Te banter. He wad'nt bate a ho'penny. Ah couldn't bate him a plack.

BATED—Ceased. T' rain's nivver bated a bit sen it started.

BATCH—A sack of meal. A baking of bread—barley-meal. Nowt's sweeter ner a bit o' het batch-ciak, buttered.

BATCH—Bundle; number; band. Ah'll feit o' t' batch for a quart o' yal. Ther's a batch o' rattans o' tagidder. They o' went i' yah batch.

BATCH-CARRIER—A miller's carter. Ivv'ry-body's hed a ride wi't' batch-carrier amang his batches at some turn er anudder.

BARK—A can ta hod can'les in.

BATTER—An embankment.

BARNEY—A deceitful transaction in trade or in sport.

BARNEY-DOO—A made up thing. Two wrestlers who do not fairly contest, but agree which is to fell, are said to mak a barney-doo on 't. Neea body likes a barney-doo ower weel, 'speshally if they've owt on.

BARROW, BARROW-COAT—What they don lal babbies in ta keep ther bits o' legs an' bodies warm.

BASIL—A sheep's skin dressed into leather, for the aprons of smiths, shoemakers, &c.

BASH—A hurry. He was gaan ower t' fell at seck a bash.

BASHED—Broken by force. He bashed t' lid off wi' his clog. He gat his teeth bashed doon his throat.

BASS—Rushes, seck as they use ta boddum chairs wi.

BAT-I-BO—Pize-bo. Ah fancy sum 'll ken best, but it's o't siam t' lads knows when it's time to laik at it, whedder it's bat-i-bo, pize-bo, or tennis.

BAT-STREEA—Thrash with a flail, an' net deea't ower hard, seea as ther'll be summat left in fer t' nags er t' kye.

BAT—The forward stroke a mower strikes each time with his scythe. A blow. A winged animal. A high speed—an' a lot mair things too numerous to mention.

BAT—Alighted. Mi feet shot oot frae anunder mi, an' Ah bat fair o' mi heed an' shooders.

> His neck oot o' joint, an' his beaynes were aw broken,
> When at t' bottom he bat wi' tremendous crash.—*Whitehead.*

BAT-AN'-BREED—The ground that a mower covers with each stroke of his scythe, bat being in front of him and breed on each side. He could tak' a ter'ble bat an' a famous gurt breed an' aw.

BANG, BANGIN-ABOOT—Clatter. He flang him doon wi' a ter'ble bang. Bangin-aboot means when t' pots an' things are skifted wi' somebody 'at's in a bit ov a hig aboot summat an' maks a lot o' noise an' show.

BANGED—Beat. "They bang'd o' t' player fooak twenty ta yan."

BANG INTULT—Bang intult an git it ower, when a hard day's darrak's in front o' yan, t' best way to gang aboot it—bang intult.

BARK—A short troublesome cough. Thoo'll be barken o' neet.

BANG UP AN' DOON—A chap 'at's ebben up an' doon in o' his ways an' dealins wi' his nebburs is sometimes said ta be a bang up an' doon chap, an' it's a blessin' 'at ther's a lot left amang us.

BANDYLAN—A woman wi a queer character—nobbut.

BANNOCKS—Skons made out of barley-meal. Cat ran ower t' rannel balks eatin mewlded bannocks. If ye can say that ower fast, a few times yer nut drunk.

BAR-OOT—At breckin' up time fer t' helidays lads know what ta deea—bar t' maister oot :

> Bar him oot, bar him oot,
> Bar him oot wi' a pin ;
> Gie's a month heliday
> Er we'll nivver let ye in.

BAR-O—Lads when they're laikin' at marvels say bar-o, an' they mean it.

BARLEY-SUGAR—A sugar stick. Try a child with a stick of barley sugar.—*Ruskin.*

BARFIN—A horse collar. A grand thing is a barfin ta gurn throo.

BARNEY-BRIG, BORO'-BRIG, BABYLON—A children's game.

> Hoo many miles ta Barney Brig?
> Three scooar and ten.
> Can I get there by candle-light?
> Yes, and back again.
> Any sticks or stones on the way?
> Yes, both. How can I get over?
> Put your heels aback o' your neck
> And then jump over.

BARBARY-BARK—A cure fer t' jawness, an' that's a complaint 'at theer's some queer remedies fer.

BARE-GAWPS—Young crows er cheepers.

BARE-PELT—Your birthday suit.

BANE—An industrious, diligent, persevering man. He's varra bane awovver.

BANG-HANDED—Same as backwards-way-aboot; a left-handed awkward way of doing anything.

BACK-HANDED-WIPE—A way o' wipin yans nooas when yans in a hurry an' neea pocket necklath handy.

BACK-AN-EDGE—Completely. Nay! it's gone back-an-edge.

BACK-HOD—A door cheek, er owt ta set yer back again when it warks wi' stoopin'.

BANKER—What masons dress flags on, an' farmers buy pigs wi'. They're as useful as owt ye can hev in t' hoose is a few bankers, sez oor Betty.

BARLEY-SEED-TIME—A sulky man 'at hings his boddum lip when things don't suit him is said ta hing a lip like an auld meear i' barley seed time.

BAUM—Baum tea, t' grandest thing oot fer a sweet when ye've a bad cauld er a good 'un.

BAND-KIT—A gurt can wi' a lid on.

BABBLE—A lie, or to lie, but babble is nicer fer t' barns.

BAFFLE—Confuse; discredit; cross-question. He telt his tial as streck as a seeve, neeabody could baffle him.

BACK'ARDS-WAY-ABOUT—A chap 'at gangs about his wark in an awkward fashion. an' does a lot on't twice ower is said ta gang t' back'ards-way-aboot.

BACK-HAND—Deceitful dealing. It's a back-hand trick.

BACK-HANDER—A blow with the knuckles, and the hand not clenched.

BACK-BAND—The chain with which a cart shafts are held up. Fassen t' backban', tweea off.

BACK-HAULD—To wrestle with the contestants behind one another, instead of facing. An attitude allowed to balance inequality in skill or strength. Ah can wrussle thee back-hauld.

BABBLEMENT—Silly discourse, partly lees.

BAIST—To beat severely.

BAWTRY-STICK—A piece of elder wood worn in the pocket as a charm against the power of witches.

BAWTRY-JOHNNY—Elder wine.

BAGGISH—Ket; muckment; bad lads er lasses. Thoo's nowt but a impident baggish.

BAY—To bend.

BALK—A joist; a weigh-beam; a strip of land; a piece which the plough has not turned over; to disappoint. He was yan o' this sooart 'at nivver balkt his fancy, but sed just what he thowt.

BATTEN—A thick plank.

BATTIN—A bundle of straw done up by the thrasher.

BACKENIN'—A putting backward, as frost put 'taties back i' June.

BACK-WORD—When yan's hired an' izzant gaan on wi' 't, yan hez ta send back-word; seeam wi' t' tailor when ye du't want a suit ye've been mezzer'd for.

BED-GOON—It's nowt to deea wi' sleepin, but it is a nice leet print waist fer women ta weer i' summer.

BEDLAM-HOOSE—Whar they're makken a gurt nurration it's war ner a bedlam-hoose.

BESSY-CLOCK—The seed of the dandelion, blown off to find out the time, so many puffs for each hour.

BESSY-CLOCKER—Black beetle. Kill a bessy-clocker an' it 'll rain.

BEVEL—A violent push or blow.

BELYVE—Afooar sa long.

BEAUTY-BEUT—Dog name.

BEUST or BUST—To put a mark or brand upon sheep.

BETIMES—Occasionally. Betimes he's queer as Dick hat band.

BECK-AN'-FELL—A wide district. He owns o' t' land 'tween t' beck an' t' fells.

BEGYANE—Taken aback. I was begyane when Ah hard tell about it.

BELDER, BELDER-KITE—Same as bellarin'. What's ta beldern at ?

BETTERMER—Superior. Bettermer mack o' fooak. Bettermer hat an' seea on.

BEN', BEND—A hide of sole leather.

BEND—Turn. Bend o' t' arm, &c, Ther's fooak that stupid they'll breck siuner ner they'll bend, they're that heed-strang.

BENDY-LEATHER—Ice that bends when skating over it. Bendy-leddur nivver brecks in—nobbut sometimes.

BENEATH—To demean oneself by contact, or dealings with. Ah wadn't beneath misel wi' thi.

BEILD—A shelter. T' wood's a grand beild for t' hoose. Ther's net a bit o' beild o' neea mak ner shap for t' kye.

BENSLE—Thrash. Ah'll bensle thi jacket thoo young taistrel.

BENSLIN—Thrashing. We played trewin, an' t' maister gav us seck a benslin.

BERE, BIGG—Barley. Tweea lads war laikin' at wishin'. T' first wanted nowt but—

> " Bigg breed dipt i' collop fat
> An' swing o' t' day o' Grayrigg Fell yat."

T'other wadn't wish at o', becos Jim hed gitten o' t' good things.

BESOM, BESOM-HEED—A rough careless lass is a gurt mucky besom, and a silly chap's a besom-heed.

BETHINK, BETHOUGHT—Remember. Ah can't bethink me ov his reason.

BEWL—The handle of a bucket, can, pan, or pail. T' bewl's het.

BEZEL—To drink greedily. He wad bezel as much yal as wad swum a ship.

BEZ'LIN—Drinking greedily. He was nivver reet nobbut when he was bez'lin yal doon his neck.

BEZ'LED—The effect of heavy drinking. His nooas was bez'led.

BENT—Coarse fell grass.

BELK—An eructation. That is, it's a rift efter eatin' ower mich.

BELKER—Something that's big. That taty's a belker.

BELKEN-FULL—When yan's hed ower mich poddish.

BELKEN-INTULT—A chap 'at gahs intul his wark as if he liked it.

BELKIN'—A tannin'. Thoo'll catch a belkin' fer this.

BELLY-WARK—This sometimes comes wi' eatin'; back-wark wi' workin'; heed-wark wi' drinkin'; lug-wark; tiuth-wark; shooder-wark; een-wark; an' ivverything aboot yan warks bi' times but t' tongue· Thi tongue nivver warks—Ah've bin telt that scores o' times.

BETTER-NER-GOOD—Varra kind. Yer better-ner-good Ah's sewer.

BERRY, BERRY-BREAD, BERRY-CAKE—Gooseberries. " I saw the dairy of one, half filled with the berry-bread, large flat-baked cakes enclosing layers of gooseberries) prepared by its mistress for her shearers."—*Ruskin* " *Fors Clavigera*."

BERRY-SHAG—Ass a lad 'ats bin noppin berries fer his mudder what he expects as siun as t' pan boils.

BETTER—More than. He's better ner a year auld.

BETTER-LEG—Many a yan says when they're in a gurt hurry " Noo Ah mun put t' better leg t' first," but if ye nobbut hinted 'at they'd tweea odd legs ye wad git some sauce frae them.

BEETLE-BATTLE—Bray a hard shirt soft.

BEAL—The lowing of cattle; crying; noise made by the wind. Ah'll gie thi summut ta beal aboot.

BEALEN—Howling.

> " Ya dismal, dark December neet,
>   When t' wind in t' chimley sood,
> Com bealen doon of Cross Fell heets
>   A helm rough and loud."—*Whitehead*.

BEALED—To call out through fear. Summat fell afront on him an' he fair bealed oot.

BELLAR—A bull bellars when it wants to be queer. A barn whingen is bellarin'.

BEARDED—" The bright and bearded barley." It's t' awns o' wheat, er barley, an' seck an' seck like.

BEARDED-WALL—A wall that has a thickness of sod on the top. in which thorns are placed to keep cattle in er oot. We'd to git ower a bearded wo. " For bearding the Kirk-garth wo " forms one item in Morland Church Accounts.

BEASTINGS—The milk from a newly calved cow ; there's war things ner a beastin' puddin'.

BEAT—To feed a fire with sticks, or turf, er owt else.

> " His words of weight act like a charm,
> On frozen hearts, and beat them warm.—*Whitehead*.

BEESE. BEEAS—Cows. Gang an' fetch t' beeas in ta milk.

BED, BEDDING, BEDDIN'-UP—Bed t' swine-hull wi' saw-come. Breckins is good for beddin'. He was beddin'-up t' nags.

BESSY-DOOKER—A watter bird wi' a black back an' a white breest. It dooks i' t' watter as it shuts away when it's flayed.

BECK—Stream. A Lakeland lad 'll know summat aboot a beck, Ah dar be bund, wharivver ye see him.

> " To think how poets wi' their sangs,
> Their minds sud seea perplex,
> 'Bout Eden, Lune, the Tyne, and Tees,
> An' scwores o' mucky becks.—*Whitehead*.

BECK STEPS—Stepping stones. T' beck steps is oot o' sect —that's when ther's a fliud on. Yah auld chap 'at hed ta gang ower t' steps when t' beck was oot, said his prayers an' set off, but he sez, " Ah's gaan bi t' boddum."

BELLIKIN—An immoderate eater or drinker—a gurt brossen bellikin.

BELLOCK—To eat hastily or greedily. He wad bellock his dinner doon, an' off ta laik.

BELL-TINKER—A rattle on t' side o' t' heed as oft as owt. But ther's lots o' things 'at's co'ed bell-tinker.

BELLY-BAND—A girth. Fassen t' belly-ban'.

BELLY-OUT—To project. That hoose wo bellys oot a lot mair ner I like.

BELLAS'D—Ah's aboot bellas'd. That's when a chap's puff's gian, er his leet's aboot oot.

BELLYS—Lungs. Mi bellys is diun.

BELLY-TIMMER—Food. See 'at thoo gits thi share o' belly-timmer.

BELLY-GOD—Yan 'at likes a lot o' good tommy an' things ta eat er drink.

BIAN-FIRE—A fire out of doors to burn up refuse.

BIAN-FIRE-DAY—The fifth of November; an' lauve hoo we used ta watch for 't an' trail whins an seck.

BIDDABLE—Obedient, as a biddable child.

BIGGIN—A building.

BITE, BIGHT—A bend in a river.

BIDDY—A louse.

BICKER—A wood pot seck as thev sarra hens in, I fancy. Chap sed he'd supt a bickerful o' soor milk.

BICKER—Nags bicker when they're ower weel coorn', an' lal 'uns bicker when they want ta walk.

BIDDEN—Invited to attend a funeral. Er ye bidden ?

BIDDING-ROUND—The circle fixed and prescribed by ancient custom within which it is usual to " bid " or " ass " t' nebburs to a funeral.

BINK—A stone bench or seat by the kitchen door, on which are placed various dairy utensils to " sweeten." [To Captain Markham, of Morland, I am indebted for a copy of an extract of an inventory " of the goods of Thomas Bland, of Sleagill, A.D. 1664—item, chaires, stooles, cushions, table with binke and trough."] From the opinions expressed by correspondents the word would also seem to bear the meaning of " bank," or " bed "; a raised up flower-bed under a window.

BIN, BING—A corn chest with separate divisions.

BILLY, Net a goat, ner William, but t' gurt lang spiad 'at a drainer howks clay oot wi—his billy and his how.

BILL-HOOK—A bill-hiuk's what they dike wi'.

BIRK—It's t' rod at izzant spared.

BIRD-EEN—Bonny bird-een, the fairest floor 'at iver was seen.

BIRD-LIME—A preparation from holly bark, ta catch birds wi, it clags ther cleeas tull a grain 'ats daub'd wi' 't.

BIRL, BURL—To pour out. Birl's a drop o' mair tea oot, wi' ta ?

BIRR, BURR—To scotch a cart wheel. Birr t' wheel antrees t' meer back. A hazy ring around t' miun when it's gaan to snow is co'ed a burr.

BISHOP'T-MILK—Boiling milk allowed to set on t' pan boddum an' burnt.

BITY-TONGUE—A turnip 'at izzant fit fer eatin' an' bites yan's tongue.

BIUN-HEED—It's fine biun-heed—that is the sky's clear even though it may be mucky under fiut.

BIUS—A stall in a cow-shed—that's a bius.

BIUT—Added. Used chiefly in trading. Says *Whitehead* :

> " Seea he reayde up to t' foremost chap
> An' thunderin' thus spak he:
>
> Says he " I'll clash thi lugs wi' t' whup
> An' t'other chap to beut.' "

Lads when they swap jackilegs 'll giv yan anudder summat to biut—happens a marvel, if tian 's better ner tudder—er warse.

BILDERT—A rascal, a mischief.

BITTER-SWEET—Some o' ye's capt wi' that, neea doot;. git hod o' yan oot o' somebody's wotchet, an' ye'll net be capt mich langer.

BLAB, BLAB-TONGUE—Indiscreet talk. A gurt blab-tongue.

BLACK-AVISED—Griuby an' mucky, er glum an' sulky. Black-avis'd like Jooany Greeuf cat.

BLARING—Bleating of sheep, lowing of cattle, noisy crying of children.

BLUE DEVILS, BLUE DEVILLED—A chap 'at once maks t' acquaintance o' this complaint's in a parlish state. They co them jim jims in America, an' delirium tremens in England. Blue 'uns 'll deea.

BLUE-BILLY—A hard blue stone.

BLUE-MILK—Creamless. This milk's blue as wad.

BLEDDER-HEED—A heed 'at's like a bledder o' same is oft co'ed a bledder-heed, an' t' chap 'at carries 't about.

BLATHER—To talk a great deal of nonsense.

BLOB—A drop of water or bubble.

BLINK—To smile.

BLIRT, BLURT—To cry.

BLOW—Ther's cauld blow, i.e. varra poor yal; an' blow yan's bacca. Ther's blow a bit—ta git yan's wind; a blow oot—a good feed; an' blow up—a good blackin'.

BLOWN—Out of breath. Ah's aboot blown. Blown milk—when t' creem's gian; an' blown apples an' peers, an' plums, efter a flow wind; an' blown meet when t' flees hes been at it.

BLUFF—Plain; bleak; outspoken; hearty; windy. It's a gay useful mack ov a word is bluff, an' its a pity it's gitten abused bi some fooak 'ats varra lal on 't i' them.

BLUFT—Ta muzzle a nag een when it's gien ta bogglin' is ta bluft it.

BLUFTED—Darkened. His een was blufted up wi' bein' tenged wi' bees. Snow hes blufted oor winda up.

BLUTTER—Ay marry. Siam as a lot o' watter in a hurry ta git oot ov a lal whol—it blutters oot.

BLUSTERATION—Empty bombast an' noise.

BLEEDING-HEART—A garden plant.

BLART—To give a secret away; to say something of an indiscreet character. Si thee, it gat blarted aboot frae yah body tul anudder, till ivv'ry yan o' t' toon knew Ah'd a new hat 'at wasn't paid for.

BLASH—A splash. He meead t' watter blash o' ower us.

BLASHY—Wild flowe wet weather.

BLASHED—Soiled with muddy water, &c. Thoo's blashed frae top ta tail. T' lime's blashed i' mi e'e corner.

BLAST—Cold. Ah've a blast i' mi e'e.

BLASTED—Blighted. T' tree's bin blasted wi leetnin'.

BLAKE—Sallow complexion. He's turned varra blake an' sauvy.

BLAINS—A disorder amang t' Kye.

BLATIN'—Sheep-weshin' an' clippin' days is t' day ta hear some blatin' when t' yowes an' lambs is mixed up an' yan laitin' anudder.

BLATE—Frightened. Thoo liuks blate eniuf.

BLATE-NER-SKAR—Nut ower modest er bashful.

BLATIN'—Bawl. Give ower blatin', thoo gurt cauf-head, er Ah'll gie thee summat ta blate aboot.

BLEB—Blister. T' lal 'un gat burnt, an' it's skin hung i' gurt blebs.

BLEEA—Ther's Bleea Tarn; bleea-worms; bleea-berries; and bleea-fingers wi' cauld; it means a bit blue-reed.

BLEEAN—Bleach. Put t' cotton things on t' gers ta bleean a bit.

BLEDDUR-SCALP—Dull witted. Thoo gurt silly bleddur-scalp. It izzant a nice word, this yan, but it's useful at times.

BLEDDER-SKITE—Yan wi' ower oppen a mooth.

BLENKIN'—Peeping. He's blenkin' aboot efter oor lass Ah'll apode it.

BLIND—A blind pap gies neea milk; blind cooal won't burn. Ther's fooak 'ats blind at can't see, an' ut'hers that won't. Ther's tricks diun fer a blind; ther's blind hash, blind worms, an' blind wo's.

BLINDY-BUFF—Blind man's buff.

BLINNDERS—Leather spectacles fer t' nags, sea as they ca't see sideways, an' git neea muck i' ther een.

BLIRT, BLIRTEN—Shooting at random. He was blirten aboot amang t' crows.

BLISH—Blister. Ah've a gurt blish fair o' mi heel.

BLIUD AN' BATTER—What chaps git wi' feiten.

BLOB—Bubble. What maks t' water blob like yon? Siap suds.

BLOB—Watter blob, that is t' knocklety gold.

BLODDER—To cry in an effusive way—bodder an' rooar. What's ta blodderin aboot?

BLODDER—Bubble. He cot his hand wi' t' yuk, an' t' bliud fair blodder'd oot on 't.

BLODDERS—Bubbles. Let's mak siap blodders.

BLONK—When ye can't gang at dominoes. He pot blonk on—looked sullen.

BLEAR-EE'D—Wake wattery ees ats sair.

BODY'S-SEL—Alone; yan may howk aboot bi a body's-sel tell yan gahs newdled.

BOONDARY-STOOP—A post that marks the township's limits on the road.

BOX—Varra clooase; as clooase as a box.

BORRAN—A heap o' rough cobbles.

BOB—Slip in or out in a hurry. We bob'd in an' gat a pint o' yal, an' bob'd oot an' oft again.

BOCKED—Reached; heaved. Ah varra near bocked mi heart up.

BOG-BEAN, BUCK-BEAN—Bog-bean tea 's a grand thing fer takkin fur off yer teeth, an' given ye a stomach.

BOH'D—Took fright. Says Whitehead:

> But, ah! I boh'd an' backward steude,
> Seun as I gat a glance.

BONNY—A bonny price, a bonny bairn, a bonny auld shindy, a bonny neet, in fact, ther's neea limits ta owt at's bonny—an' a lal word's a bonny word sometimes.

BOTCHUT—A beverage made from honey. It'll mak neea-body drunk—a drop o' honey botchut, but Ah've known fooak badly wi' 't.

BOTTLE O' STREEA—Queer stuff ta bottle, some on ye'll think, but it's t' way threshers lap 't up an' tie it wi' bands.

BOTTOM—To get to the origin or foundation. Ah'll boddum that drain oot first. Boddum that teeal.

BODDUMS—Shoe soles. What's left at yal tub efter t' drink's drawn. Ditto tumblers an' tots. Them's t' commonest sooart o' boddums.

BODDUMS—Low lying land, somewhat level, and generally with a beck running through.

BODDUM—Whar fooak sit on.

BODDUM—Principle. He's a chap wi næea boddum in him.

BOW-HOUGHED—Crooked houghs.

BODDUMLY—In reality; at the bottom. Boddumly Ah du't think he wanted ta gang away. That hoose boddumly is as clean as a penny. He's a honest fellow boddumly.

BODDERMENT—Let's hev nin o' thi bodderment. Fash.

BODDER—We've hed nowt but bodder about it.

BODDERATION—Bodderation to thi an' thi auld gallawa, thoo can talk aboot nowt but nags.

BOX—Patch; box them up as weel's ye can.

BOY—T' cur dog.

BOB, BUMP—A knot of hair, same as a stag tail tied up at back at t' heeds o' t' ladies.

BODES—Pyatts bodes yan's luck. Yan's a sorrow, tweea's a mirth, three's a wedden, fower a birth, five is silver, six is gold, an sebben is a secret never to be told.

BO-MAN—Be whiat honey er t' bo-man 'll come. "The terrible Bo," as Ant'ny Whiteheed cos him, hes whiatened a lot o' barns in his time.

BODJY—A bit stoot an' rayder pursey.

BODY—A person. Can ye give a body a pipe o' bacca ?

BOGGLE—A flaysome ugly thing 'ats varra common i' t' looanens; they git up yan's nuoase, an' flay nags ; spirit knockin's nowt tul a boggle.

BONE—To charge. Ah hard 'at he was tellin 't 'at Ah was mad drunk; seea t' next time Ah saw him Ah bian'd him wi' 't theer an' than.

BONES—T' auld snarlin' thing he's allus at 't bians o' ivry-body. Frae moornin' ta neet he's bianin at it aboot t' wårk.

BON—Go bon it ! Varra oft used when fooak hev gitten oot o' bed 'at wrang side, an' ivvery thing izzant streck forrad.

BOWELL-HOLE—A small aperature in a barn, for giving light or air.

BOWERY—Plump, buxum.

BOONCE—Eject. Ah'll boonce t' shop o' thee.

BOONCER—Big, smart. Yon' fellow's a booncer.

BOONCIN'—Lively. A booncin' big babby.

BOON-DAY—Help given to a new tenant by his neighbours at ploughin'. They're hevvin their biun-plewin to-day.

BOONDED—Swelled. T' back o' mi hand's o' boonded up ; ye nivver saw seck a seet i' yer life.

BOOTED-BREAD—Bread in which rye is used. Ah cud eat a shive o' booted bread.

BORN-DAYS—Lifetime. Nivver i' o' my booarn days did Ah see seck a tagalt as that lad.

BORROWIN'-DAYS—T' first three days in April.

> March borrowed of April,
> Three day's an' they war ill,
> First rained, second snew,
> An' third was t' roughest day at ivver blew.

Ah reckon March tiak back seck as she hed on hand.

BOSOM—T' wind booazums doon t' chimley, er aroond a niuk, er in a passage.

BOWDY-KITE—A great eater. A gurt brossen bowdykite.

BONNY—A famous niam fer nags.

BRABBLEMENT—A noisy quarrel, or wrangling.

BRAKE—A heavy harrow used for breaking large clods of earth.

BRAW—Finely clothed, handsome.

BRAUN—A wild boar.

> " A braan 'at hed boddert 'em neet an' day,
>   At last, by a butcher, was boldly shot."—*Bowness*.

BRIDE-ALE—The marriage feast at a rustic wedding.

BRIDE-LIAF—Wedding cake.

BRIDE-WAIN—A brides' portion.

BREEMEN—Summat up wi' t' Sew.

BREED-AN-SCRAPE—A shive o' breed wi t' butter scriapt off to deea again. Breed an' scriap is siam as 'taties an' point.

BRISKET—T' breest cut.

BRAG—Boast. Braggen an' booasten o' what wark they can deea. Let them deea 't, sez Ah.

BRAMLI-KITE, BUMLI-KITE—Either er owder 'll deea. The'r bramble-berries—nowt else.

BRAN-MASH—Try yan fer t' galloway.

BRAN, BRAND—Owt 'ats new oot o' t' mint is bran new, an' many a thing 'ats nivver bin i' t' mint.

BRASH—Rude. Brashed off wi' laughin'.

BRECK-NECK—Furious haste. He set off neck-breck er nowt breck.

BRAIDS—Imitates; in a similar condition; like. Your fooak braids o' oors, I see they're cleanin' doon.

BREAD-AN'-CHEESE—It grows i't dyke boddums an' t' barns eat it. T' Latin for 't wad freeten 'em, ah's flayed.

BRODDLE—Howk. Nivver broddle yer teeth wi' a pin. Broddle yer lug wi yer elbow, t' auld chap said.

BROD—Pierce. Mi teea's sair whar t' nail brodded through mi stockin intul it.

BRISSLE or BIRSET—To scorch; to parch by means of fire.

BRULLIMENT—A broil or quarrel.

BRULLY—A domestic difference of opinions; a quarrel. They'd a bit o' a brully atween them.

BROT—Whar t' sheep rub ther backs e' t' banks o' peat.

BROCK—An otter. Many a body sez that they " sweet like a brock," but they nivver saw yan. In the year 1609 they paid in Murland parish 13s. for Brock-heeds at a shilling each.

BROCKSHAW—Meat fra a sheep that has died a natural death. Brockshaw hes a bad reputation, an' it cudn't hev a war neeam.

BROGUES—Ass a drainer to let ye liuk at his clogs—them's his brogues.

BROKKUN—Ther's brokkun oot an' brokkun up; an' brokkun t' dyke, an' t' bull; an' brokkun meat an' milk; body-brokkun, an' heart brokkun; an' bank-brokkun an' brokkun backt wi' brass; brokkun weather, an' brokkun wark, an' brokkun fasts; nags is brokkun in, an' hay's brokkun oot. Owt else brokkun, Ah wonder: Aye, when a poor fellow's t' bums i' t' hoose it's becos he's brokkun.

BROOKT—Mixed colour. He's briukt wi grey. His fias was o' briukt wi' grime.

BROON-BESS—What they shut wild geese wi'; er at least what they try ta shut 'em wi.

BROON GEORDIE—Brown bread. Whar they nack an' deea they co' it Brown George—it's o' t' seeam, an' tiasts neea better.

BROON-LEEMER—Hazel nuts that are ripening in the husk and shedding them. Ah've a pocketful o' broon-leemers.

BROUGHT-IN—Converted.

BROUGHT-OUT—To hatch.

BROUGH HILL TIME—Aboot Brough Hill time o' t' year, *i.e.*, Brough Hill Fair.

BROUGH HILL WEATHER—It's cauld as Brough Hill.

BRUSH—A fox brush; brush aboot wi' t' wark; brush t' meedow; a bit ov a brush at feitin'; beardy; brush yan's hand ower another body's fias; brush up a bit; brush t' nags doon; brushwood; brush by yan annudder an' nivver let wit. Ther's a gay lot o' different macks an' ways o' brushin'.

BRUSH—At times it may be necessary to remove a small obstacle, so that marble-players may get the chance of a good shot—that's brush.

BROSSEN—Nags er men 'at eat ower mich at yance an' er nivver full 'at efter, er said to be brossen. Some er brossen wi' wit, others wi' wark, and some wi laiken, a gay few wi' yal.

BROSSEN-FULL—Hed mair to eat than's easy er good.

BROSSEN-HEARTED—When a lal 'un can't hev o' it wants it sets tul an' hes a good whinge, till it fair sobs—it's brossen-hearted.

BRAG—T' dog.

BREAS—Beck edge. Where t' fish dark anunder. Whitehead says:

> Howks grubs an' worms fra under t' breas,
> To feed t' la hungry troot.

BRECK—A mischievous prank. A favourite breck when yan was lads used to be takkin' t' lin'pin oot of a cart wheel, an' then dark aback ov a wo ta hear t' final. Brecks izzant as common noo, an' they've neea need to be.

BRIEF—A collecting card, or sheet for one who has met with misfortune. They gat a brief fer him when t' coo deed.

BRIM—Top. He was brim-full. Full of sorrow, or anger, or mirth. Ah cud see he was full ta t' brim, seea Ah com away an' sed nowt tull him.

BRINDLED—A cow with a striped skin. T' cowey's brindled.

BRITCHED—Braced. Thoos britched up ower tight. Let thi gallowses oot, min.

BRITCHED—Put into a suit. He was a gay, gurt fine lad afoor he was britched.

BRITCHIN—The fork; where two limbs join.

BRITCH-BAN—The part of a horse's gear which enables to " back " a cart, &c.

BRITTAN—Hide; tan; Ah'll brittan thi thi jacket for thi.

BRITTANEN—Thrashing. He gat seck a brittanen as he was lal aware on.

BRIAKEN—A thrashing. Thoos laiten a briaken an' thoo'll git yan if thoo gahs on.

BRITTAINER—A queer customer. Noo he's a bit ov a Brittainer is t' auld horsebrecker; he is ano.

BRANDRITH—T' girdle frame and legs it stood on. " A cubbard, kist, an' brandrith frame."

BRANK—Swagger. He wad brank aboot in his Sunday clias as if t' toon was his awn.

BRANLINS—Worms oot ov a muck-heap, good fer fishin wi.

BRANT—Steep. A hill that's as brant as a hoose side taks some wind oot o' yan.

BRANT—Brazen. He stiud up ta feit as brant as a banty cock.

BRASH—Hurry up. Brash aboot an' skift yersels.

BRASHEN—A vigorous habit. He was allus brashen aboot at t' top o' his speed.

BRAT—An apron ; a pinafore.

BRATTLE—A loud noise. By gum ! that brattle o' thunner soonded gayly near like. Ther's udder maks o' brattlin', t' rifle an' seck like.

BRIDLE-ROOAD—A lal looanin' whar nowt but a nag er a coo can gang doon.

BUFFS—Rebounds. When yan's drivin' a stiak an' it's gitten fluzzed an' comes oot farder than it gangs in when yan hits it wi' t' mell, then it buffs.

BULLACE—Wild plums. Bullaces an' sleeas—they grow i' t' dikes.

BULL-HEAD—Bull-heeds an' tommy-looaches—wi' a bit o' threed fer a tome, an' a pin fer a hiuk, ye can catch them i' t' beck. Ther's mennoms, tommy looatches, an' bull-heeds. Ah've hed many a yedderin for 't.

BULL FIACES, BULL TOPPINS—Ye'll find some o' these i' t' coo-paster. They're gurt ugly liukin tufts o' rough gerse an' stuff.

BULL-JUMPINS—Bull jumpins an' why laikins is summat seeam as beeastins. Ah fancy.

BULL-SEGG—Thoo criuns war ner a bull-segg, *i.e.*, a bullock at's bin a bull ower lang.

BULL-STANG—Hornet. T' nag ran away when it hard a bull-stang.

BULNECK—Head first ; without much thought or considera-tion. He fell intul t' troff bulneck. He was gaan on bulneck, an' nivver liukin' at his feet.

BULLOCK—Treat harshly; to domineer. He wad bullock yan aboot.

BULLOCKIN'—Bullockin' about, mind whar thoos gaan.

BULLOCK-MAN—A farmer's man who tends cattle as distinct frae them at works wi' t' nags.

BULSTONE—A whetstone that a mower sharpens his scythe wi'.

BULL-BRECK-OOT—A lad's gam at breckin' oot ov a ring an' gitten catcht.

BUM—Baste.

BUM-BAILEY—We o know as mitch as we want ta know aboot t' bum-bailey.

BUMM'LE—Bee. Ivv'rybody knows what it is when they hear yan, and when it sits doon wi' t' het end first they can feel it. Bumm'le aboot is when ye catch yer teea in a nick and hod yer-sel up wi' t' tiable cliath, an' lands on t' fleear amang t' pots.

BUNCH—Ah'll laik o' t' bunch. It means o' t' boilin', or o' t' gang.

BUNDLE-UP—To bundle up yans bits o' traps meens 'at we're skiftin pliaces. We's o' hev ta bundle up an' be off e'wer turn, an' it's best ta sheer clean, an' leeve neea slape spots ahint yan.

BUNSTI, BOOTSTI—Laken at fieldin amang t' stacks:

> Bogleti, bogleti, bunsti,
> Thee find me an' Ah'll lait thee,
> Bogleti, bogleti, bunsti.

BUR—Prickly burs; they grow on a burdock, er robin-run-i'-t'-dike, an' stick tull yan's cooat.

BURBLECK—Petasites vulgaris. Happen it is, but a bed o' burblecks is nobbut a varra lal account fer o' that.

BUMP—Thick garn for jackets an' caps.

BUM—A gurt wallopen cork fer a tub.

BURTREE—Elder. That is i' England, but we allus say burtree in Lakeland.

BURTREE-GUN—A pop gun made of a burtree. O' lads know hoo ta mak a burtree gun.

BUR-THISSLE—Git hauld o' yan, an' let it prick, an' I'll be bun' ye'll know t' difference frae a sew thissle for ivver efter.

BUSH—The iron lining of a cart wheel naf, 'at t' assel tree works in an' keeps it frae wearin' away.

BUSHIN'—Ah've hard a chap say it mair ner yance, when he hed stomach wark a day er tweea, 'at he'd want bushin if things did'nt tak up different.

BUSK—A stays-bone. The waist. To drive away. Mak us a stays busk. He hed yah arm aroond her busk. Ah'll busk thee thoo young taistrel at thoo is.

BUSK—Hurry up; bustle about. Busk aboot an' git diun, an' we'll gang fer a walk.

BUSTARD—What yan fishes wi' i' summer neets, summat like a butterflee.

BUTCH—Slaughter. It izzant iv'ry day we butch a pig.

BUTTER-SOPS—A christening item consisting of bread soaked in melted butter and sugar, flavoured wi' rum.

BUTTER-SHAG—A shive o' breed wi butter on 't.

BUTT—A hide of sole leather.

BUTT—What fooak sit doon on.

BUTT—That end of a shaf 'at it stands on.

BUTTIN—A shaf set up ta dry i' yans, nut i' stooks.

BUTT-WELT—Ta throw stooks doon ta dry. Butt-weltin shavs is like knockin legs oot anunder a chap's 'at bin a bit poky.

BUZZARD—Coward. A gurt buzzard flayed o' t' dark looanens.

BULLS & COWS (whys)—The flower of the arum macutatum, often called lords and ladies.

BUM—To buzz.

BUNCH—To strike with the foot; to kick.

BUZZOM—A besom or broom.

BUCK—Pride. Plenty of buck. Stupidity. Let's hev nin o' thi auld buck. A prop to hold a cart level, when not yoked.

BUCK! BUCK! how many fingers do Ah hod up? A lad's gam.

BUFF! BUFF! hit him a cuff. T' sign o' war.

BUCKLE—Ther's "buckle teea," meanin' git into some wark; an' "buckle on," ta mak an engagement at sometimes lasts fer t' life on us.

BUCKT—Smartened up a bit. He's buckt hissel up in his best. To spring up courage. He buckt up an' went in an' wan.

BUDGE—Stir. It wadn't budge an inch.

BUFF—Bare skin. They stripped off inta buff an' hed a reet good set teea.

BURR—A hoarse guttural tone. He sticks weel tul t' auld burr. A hazy ring around the moon—Sign of a change.

BUTTS—Short rigs that run out.

BUBBLY-JOCK—A turkey cock.

BURR'D-IN, BURR'D-UP—To hide; to shelter. We burr'd-in at t' field-hoose tell t' shoor blew ower.

BY—Past. It's by t' post time a gay bit.

BYE—Lonely; out of the way. It's a bye auld dowly hoose. Bye-steeds; bastys; bye-rooad, an' seea on, er o' t' siam sooart.

BYE-NAME—A nick name, or pet name. Here's a sample: Wing Tommy; Debrah Duckfiut; Jos at t' Ho; Potter

Jammy; Bud Birbeck; Happy Jimmy; Garn Willie; Shoddy, t' cadger; daft Wat; bullocky; an' seea on.

BYE-WORD—It's a gay fine day, like. Like in that sense is a bye-word, but it's nobbut a peur sample ta what Ah hev on hand, but they want fettlin up a gay bit, Ah'll apode, afoor t' printer wad put them in.

BY-GOY, BY-GOM, BY-GOX, BY-GEN—T' meanin o' this lot depends hoo they're used.

C-LINK—A link fer yoken up t' plew wi'.

CA-BAL—A nurration kickt up wi' chaps at's on t' randy, er t' cauves, birds, ducks an' hens, er owt else at maks a gurt noise ower nowt.

CACK—What they mack middens oot on.

CADGER—A chap at gahs aboot buyin' butter, an' eggs, and woo, an' seck like things is co'ed a cadger fer short—but he doesn't cadge.

CADGE—Ta beg without assin' streyt oot; sometimes it's co'ed shoolen.

CALEVER—A carry on. This is a dooment, er a bit ov a spree. Ye war hevvin' a fine auld calever on, Ah hard tell at t' public.

CALFISH—Cowardly. Nowt'll mak a lad warse mad ner to tell him he's a cauf, er he's caufish.

CALF-HEED—A gurt, hard, soor sooart ov apples. A silly fellow's a gurt cauf-heed.

CALF-LICKT—A curly toppin'.

CALKERS—Iron rims fer clogs an' shoes. Ass a lad at shirlin' time fer particulars.

CALLIFOOAGLE, CALLIFUGLE, COLLIFOOAGLE— These three o' mean yah thing—fooak liggen ther heeds tagidder fer mischief, an' ta deea somebody a nasty clarty trick.

CAM—A topstun fer a wo'. I' Borrowdale they wo'd t' cuckoo in seea as they wad allus hev yan, an' it wad allus be spring, but t' cuckoo fand it oot an' flew ower, an' yan o' t' wo'ers said it was acos they hedn't gitten t' cams on.

CANKER'D—Varra cross an' ugly tempered. It's better ta leave a man tul hissel when he's canker'd.

CANT, CANTY—Active. Hoo er your fooak? They're cant as ivver. Hoo er ye? Ah's canty fer mi years.

CANTLAX—What's that ivver? Ah du't know, but it's summat nut ower nice. He's tian off wi' a gurt cantlax o' some mak an' gitten wedded.

CAP—Surprise. It wad cap ye ta see hoo mich that barn can eat.

CAP-STUN—Cap or cape-stone is the central stone of an arch.

CAPPERS—Ah'll set thi cappers. A lot o' lads at laiken time used ta set cappers bi jumpin' t' beck at a strait spot, an'

yan o' them went on t' sly an' lowsened t' sod whar they
bat, an' t' first yan ta lowp cappered ta t' boddum o't'
beck an' gat yarked fer't. Ah was in at t' yarkin.

CAPT-COORN—Coorn at's fettled up fer t' pooak mooth at's
gaan ta t' market. It's a gay auld farrand dodge.

CART-STOWER—Tweea lumps o' wood at stick oot at end
of a cart fer 't ta leet on when it's keckt up er 't stowers.

CARL, CARLING—A blithe hearty fellow wi' not too much
refinement. A gay rum carl. Thoo gurt rough carlin
thoo.

CARLIN SARK—Yan miad oot o' hiam-spun lin.

CARRY-ON—A marlock, er a bit ov a lark when fooak er on
t' rant, at tierm times.

CAFF—Chaff. What t' wind drives oot o' t' deetin' machine.

CAFF-BED—Caff asteed o' fedders.

CAFLIN—It's allus said at leers sud hev lang mem'ries. It's
ower wi yan o' them when they start cafflin at middle o'
ther tial.

CAMERIL—A curved piece of wood used to hang slaughtered
animals up by.

CANTRIP—A boggle dance i' some whiat kirk garth. It
maks yan's skin whidder to think on't.

CARRY—A long way to convey anything is a gay lang carry
—well watter, milk, er owt else.

CAR-TRACK—A road for a cart along a field side. Keep i'
t' cart track, can't ta ?

CATER-CORNER—From one corner to another, as a shawl
is doubled to wear. Thoo mun double that cater corner
ways an' than thoo'l deea 't.

CAT-WITTED—A bit sharp an' rayder silly. Says Anderson:

> Peer Jwosep ! we went ta ae schuil !
> He married deef Marget, the Gamblesby beauty,
> A silly, proud, cat-witted fuil !

CAUF-NOPE—A rough blow. Ah'll gie thi t' cauf-nope, as
Robin Knagg said when he streeuk t' fellow ower t' heed
wi' a rud stiak.

CAUF-HULL—What t' cauves leeves in.

CAUF-BED—Whar cauves co' frae 'at first.

CALDA, CALDRIGGS—Field names.

CAT-UNDER-T'-LUG—Noo, threshers, ye o know what that
is. Its threshen wi' t' flail afoor ye've gitten t' knack
on 't. It's grand when t' sooples git hankled and catch
yan ower t' canister.

CARRY—What a pasture, or a farm, will allow of in the way
of stock, are what it will carry.

CARRYIN'—Bearing.

CAT-GALLOWS—Tweea sticks stuck up an' yan across ta
jump ower.

CATTED—Cross fer reg'lar. A catted auld thing.

CATTY—A lad's gam wi' a stick an' a peg.

CAT-COLLOP—A tiasty bit fer t' cat when fooaks is butchen. It'll hev anudder neeam neea doot, but Ah can't find it.

CAT-HOS—Bird meat at grows on a thorn tree. It'll be a bad winter, ther's seea many cat-hos an' choops.

CAT-NOD—Forty winks.

CAT-LATIN—Queer mixed up talk; bad writing at yan can hardly read—that's cat-latin. The prattle of little children also. Thoo talks nowt but cat latin, Ah ca't English 't

CATTER-WAW, CHITTER-WAW—A concert o' cats on a whiat neet.

CATTLE-CREEP—A cunderth fer cattle ta gang under t' railway frae yah field to annudder.

CALLET, CALLAT—To gossip.

CAM—A bank.

CAKE—To cackle like a steg.

CARROCK or CURROCK—A heap of stones.

CESSEN—Cast off. He's cessen his flanin'.

CAST-UP-AT—To upbraid. He cest-up-at him o' he knew.

CAST-UP—To appear, or be found.

CATCHY—Disposed to take an undue advantage.

CAVE—To separate.

CAIM'D—Peenj'd; cross. Siam as a chap 'ats eatin' t' bed an' gaan back fer t' bowster.

CAINJI—T' siam again. A cainji auld thing.

CAMPLE—Argue; contradict. Hoo dar ta cample wi' t' gaffer like that?

CAMPLIN'—Contradiction; sauce. I'll hev nin o' thi camplin', seea thoo knows noo.

CANNY, CONNY—A canny way, a canny man, a canny day, a canny auld fashioned trick, a gay canny customer, a canny lang price. Canny always seems to convey the impression of something surprising; it's use is frequent, and it's application various.

CARANT—Carousal. Allay this is what fooak mean when they say on t' rant.

CASION—A mannerly mak o' beggin' summat ta sup. We casioned him for some looance, but it war neea go.

CABBOR—Useless rubbish.

CARRAS—Short an' sharp fer cart-shed.

CAHT, CA'T—Short for cannot.

CEE-HOW—A rough blow. He gat seck a cee-how under t' lug wi' t' flail soople.

CESS—A rate or tax. He's gedderen t' cess.

CIAM—On one side, like a shoe that is worn down, or the contents of a vessel that have got stirred over.

CHURCH-MOOSE—As poor as a kirk moose.

CHAFTS—Jaws. Mi chafts er as sair as a kyle.

CHARM—Rheumatism, bleeding at the nose, warts, hiccough, nightmare, and above all toothache are some of ailments for which specific charms exist as cures. Within recent years one who had the power to "charm" away the toothache lived at Hardendale; and every one learns *viva voce* the homilies to be repeated when a tooth is drawn, or when hicough is troublesome. A charm fer drawing t' fire up is ta set t' fire pore seea's ta mak a cross in t' boddum bar. It flays t' bad spirits of.

CHATS—Seeds of ash trees.

CHOOP—The seed pod of the rose. A fiace as reed as a choop's a good sign.

CHANCE-BAIRN—Illegitimate child.

CHARLEY—A hump on the back; also of a lazy person it is said, he's t' Charley on.

CHOMP—Watch a chap eat an apple 'at's hard; he'll chomp, Ah'st warn'd.

CHAP—To knock or rap; a person; a sweetheart.

CHEERER—A glass of spirit and warm water.

CHOPPING-BOY—A stout boy.

CHURNEL—An enlargement of the glands of the neck.

CHUMP—A log. A chap 'at's daft.

CHUNTER—Grumble in an undertone. Some fooak does a lot o' chunterin' an grumblin', but it does 'em neea good.

CHAVEL and CHIG—To chew.

CHEESE-WOST—Curd of cheese before pressed.

CHEESE an' Breed—Wood sorrel.

CHANG—When a chap's tongue's lowsed wi' a drop o' short stuff, an' he talks twenty ta t' dozen, er when t' birds o' sing tagidder i' May, or t' cocks an' hen crow an' cackle, it's a' chang.

CHARRIN'—Ye know—it's daytal wark fer women. In America they hev it as chores.

CHEESERIM—A wooden mould to make cheese in.

CHIG CHIGGIN—Chew with the front teeth; a chig o' bacca teea; an' fooak 's allus chiggin' things ower 'at others durt want ta hear.

CHISELLED—A way o' gitten hod o' sombody's brass 'at's far frae honest.

CHOCK—Chock-full, anybody knows, is when they've hed plenty; chock t' wheel is ta burr it, and t' turners hes a chock ta lig ther tiuls on.

CHOCKED-UP—A drain mooth er a cunderth when a fliud's full'd them er chocked up.

CHUCK—A chuck's a hen, sewerly; but a chuck under t' lug izzant, er a chuck on ta top ov a cart, an' beside that a lot o' fooak co ther tommy chuck, broon chuck, and white chuck, and seea on.

CHUFF—Pleased, like a lad wi a new jackilegs, er t' lasses wi a new frock apiece fer Easter. T' lad wasn't seea chuff 'at hed nowt new but their Jim' auld shoes ta say t' Psalms in.

CHAFFER—Argue. What er ye chafferen ower ?

CHAMMERLY—What they used to steep seed wheat in ta kill t' filth an' t' bad pickles.

CHANTER-BONE—When yer feet shut oot an' ye drop on t' boddom o' yer back an' see a lot o' stars—it's becos ye've touched t' chanter-bian.

CHATS—Lal taties.

CHAUVE, CHAUVEN, CHATTERED—Chew'd. T' rattens hev chauven varra near through t' cauf hull door.

CHEEK—Sides, seck as door cheeks an' yat cheeks.

CHEEK—Impudence. Let's hev nin o' thi' cheek.

CHEEPERS, CHILPERS—Young birds in the nest.

CHELP—Sauce. Thoo's far ower mich chelp aboot thi ; thoo wants ta keep thi tongue atween thi teeth a bit mair.

CHEP—T' nooas-end. His chep's gaily reed wi' t' wind.

CHEESE-FAT—A tin used in pressing cheese.

CHIME—T' dog gowlen.

CHIME-IN—Net ta gowl, but tak a hand i' owt 'at's gaan on, seck as cards, tea suppin, laikin, er owt. "Come, chime-in"; it happens is harmony efter o'.

CHIN-MUSIC—When t' barn hes t' stomach-wark it'll mak some fer ye.

CHIN-PIE—Lads rub yan anudder's chins wi' ther knockles an' co' it chin-pie.

CHEETRY—Knavishness. Eetry beats cheetry.

CHIP—An interjected remark. He pot in his chip.

CHIP—A wrestler's stroke—buttock, hype, click, hank—any mair ?

CHIP'T—To obtain ale by throwing out a hint. They chip't t' maister fer a quart.

CHIP'T—Cracked. Siam as a tea-pot spoot when it's stood on t' hood, er a egg when the chicken's gaan ta come oot on't.

CHIRM—To put a lot o' fancy craft inta yer talk when ye durt know hoo. Noo she thinks neea smo' drink of hersell chirmen an' nacken. "She" was a young man fra t' town.

CHIT—Puss.

CHITTY-PUSS—A lad's game.

CHITTER—T' lal uns at skiul chitter an git nointed for 't ; t' youngs birds chitter i' ther nests when t' auld 'un comes wi' a worm, an t' swallows chitter on t' riggin.

CHITTY—Cat.

CHITTY—Jenny-wren.

CHITTY—A diminutive. Chitty-garth, a small field. Chitty-balks, the lesser timber in a roof. Chitty-fiace, a small featured person.

CHOP-FAWN—A chap when his sweetheart hes chuck't him fer anudder; an' anudder 'at's fund oot he hes t' wrang sew bi t' lug; an' when oor best laid plans hez gone agley, an' we're soor, an' sad an' sulky wi' ivv'rything an' iv'rybody, it's than said aboot us 'at we're chop-fawn. An it's gaily oft true.

CHOPS—Jaws. He hangs his chops.

CHOPPEN-AN'-CHANGEN—Varra whimmy mack o' fooak ats allus laiten oot summat fresh ta gah on wi.

CHOWLS—Pig cheeks. T' chowls touch t' fleear.

CHECK-BRAT—T' auld farrent uns wad wear a check brat, a bed-goon, cap, an' clogs an' be ivver seea smart an' tidy e' them.

CHEG, CHEGGLED, CHEGGLEN—These hes ta deea wi chowin.

CICELY—Sweet Cicely. Rabbit keepers knows what an' whar it is. Crosby Ravensworth has been nooated for hundreds o' years for it.

CLAG—Adhere. " Is it clag'd in ? " " No," sez t' Cockney, " it's gummed in." An' than we winkt an' laffed.

CLAGGER—One who sticks to all he can is a clagger.

CLAMMING, CLAM—To suffer hunger.

CLAGGERAN—That's hoo ye git up a rock, er a hoose side, when ye've neea stee.

CLAY-DAUBIN—A wo plaistered wi' clay fer lime.

CLAP—Ther's a clap o' thunder, an' some other sorts. Owt 'at's set doon in a hurry is clapt doon.

CLEEATY—Ye know—Auld Cloven foot, doon below i' t' het spot.

CLINKS—Ye'll find some on t' fells.

CLIP—Condition. Ah's a gay fair clip, that Ah is.

CLIP—A year's wool crop. We've t' last year clip i' t' granary yut.

CLIPPIN'—What cheer?—Oh, clippin'. A gay lish body gahs clippin' aboot like a tweea year auld.

CLIPT 'UN—A newly shorn sheep. By gom he was off; he ran like a clipt 'un when he hard that.

CLIPT AN' HEEL'D—E' feiten fettle.

CLIPT DINMENT—A hauf-fed fellow.

CLUDDER—To get close together when it's cold or lonely. T' sheep cludders up when a dog gets among them.

CLUTHERS—In heaps, clusters.

CLOM'D-UP—Thirsty, dried up. We rowt amang that stoory lime and muck tell Ah was aboot clom'd up wi' 't.

CLAHM'D-UP—Nearly t' siam as t' last. Ah's clahm'd up wi fleem.

CLAT—A nasty mischievous body 'at gangs frae yah body's hoose tul anudder, hearin' t' tial an' tellin' 't, an setten t' toon bi t' lugs—that's a clat.

CLETCH, CLUCKIN', CLECKIN'—A brood of chickens, &c.

CLOINTER—To run about over a floor, or up and down steps making a noise. Give ower clointerin' aboot wi' thi gurt clogs.

CLONK-CLOMPER—A gurt noise like a lad maks wi' his clogs 'at's far ower big fer his feet.

CLAP BREAD—Haver bread, an' bread made from unsound flour.

CLINT—A steep face of rock, a small scar.

CLOD—To throw stones or clots. He was clodden steeans.

CLUM—Cold, heavy soil.

CLAMMEREN—Walking badly.

CLIMMEREN—Creeping up trees.

CLAVVERIN-AT—Fratchen.

CLAMS—What a saddler or a shoemaker holds his materials in whilst he stitches them together; also the implements of a veterinary surgeon.

CLANK—A shoe er a clog calker, er a cart wheel hiup, er a nag's shoe'll clank when they're lowse.

CLARTY—Stickey. Yan o' t' finest preachers in a' America was yance writin' aboot a famous puddin', an' he sed it was "clarty." An ther's clarty tricks, an' clarty fooak, an' clarty looanens, an' clarty trods.—See Ruskin's "*Fors Clavigera*," vol. 2, page 203.

CLASH—Ther's wake tea; rain; gossip; a yat er a door shot wi' a bang; an' a rattle on t' side o' t' heed; these is o'co'ed clash betimes, as weel as thin poor yal.

CLASH-BAGS—A gurt gossipin' clash-bags is a body 'at tells mair than they know aboot other fooak.

CLASH'D-LIUKEN—Yan o' t' world's failures ats doon on his luck.

CLASHY—Rainy, stormy. It's clashy weather aboot Brough Hill time varra oft.

CLAW, CLAWK'T, CLAWKEN—Ta scrat when ye-re feitin asteed o' strikin' wi' yer double nief.

CLEAN-HEELS—Lads 'at's been amang t' pes, er i' somebody's wotchet, an' er catcht 'll show ye some clean heels as they gang ower t' dykes.

CLEG—A gad-fly, but git yan i' yer neck whol on a het day, an' let it git agiat sooken, an' than common cleg's fine eniuf.

CLEW—A clew o' yarn. It's when ye've wund it ready fer knittin. "Give it a corner and the clew undoes," says George Herbert.

CLICK—Snatch. Click hod ov his coat laps.

CLINKERS—A kind of nails used to protect the edges of a shoe sole.

CLINKIN'—Noo this means summat grand. A clinkin lal meear, a clinkin good plewer, er mower, er runner, er wrussler, er owt else.

CLINKS—Sheep leg joints. T' lasses laik wi' them, an' co them clinks.

CLINK-OFF—Some 'll clink off ta be soldiers, an' some to be summat else. It means 'at they gang an' mak neea sign, they clink off an' git wedded er 'list, er owt else, an' sometimes they rue their clinkin tricks.

CLOOAS-MOOTH—It's what maks a sharp heed, but some fooak's far ower clooas behauf.

CLUDDY—A cluddy-nut is a sooart of Siamese twin nut; tweea grown tagidder.

CLOT-HEAD—A sillly fellow.

CLOWEN—Scratten. What's ta clowen like that for? Fooak'll say thoo's company.

CLAGGUM—Treacle made hard by boiling.

CLAMMERSOME—Greedy, contentious, clamorous.

CLAMP—To make a noise.

CLAPPER, CLACK—The tongue.

CLEETS—Pieces of iron worn by countrymen on their shoes.

CLIFTY—Well managing.

CLOIT—A clown or stupid fellow.

CLONTER—To work in a dirty manner.

CLUFF—To strike, to cuff.

CLUMP—A mass of anything.

CLUMPY—Awkward, misshapen.

CLOMIN'—Fondling. Give ower clomin t' dog aboot.

CLIASE-HORSE—A winter hedge; a clothes maiden, ta dry t' cliase on afore t' fire.

CLOOT—Hurry. Yer in a terrible cloot.

CLOOTED—Rattled. He gat clooted ower t' lugs fer his impidence.

CLOOTEN—He was clooten off doon t' looanen.

CLOOTS—The feet. Ram thi gurt cloots anunder t' seat, er somebody's gaan ta breck ther necks ower them.

CLOSE—Same as clammy.—neea wind, nowt but warm an' clooas.

CLOUTS—A woman's clothing. She's jarbled o' her clouts.

CLUFT—A cluft stick is yan wi' tweea grains cut off an' a bit left on like a fork.

CLAMMY—Moist warm weather. A clammy neet.

CLOGS—Ther's hag-clogs at's as stupid as they mak 'em; ther's clogs fassened tull a bull snoot; clogs fer t' fire; an' clogs fer t' feet—wooden soled shoes, t' lawyer co'ed 'em. "Let's see, your father wore wooden soled shoes, called clogs, I believe?" "Aye," sez t' fella he was bullyin', "an' if thy faddur hed worn wooden soled shoes co'ed clogs thoo'd bin weeren clogs noo." Varra fair.

CLOCKIN'—A clockin' hen. Ivverybody knows what that is, but tweea chaps found a watch, an' yan o' them said it war a clockin' tiad, and' they kilt it !

CLOOT—Patch, mend, a blow. A cloot under t' lug. Aye ! She says thi kitle 's clooted an' clooted till neea body can tell which is t' maister cloot.

CLOCK-DRESSER—A.man who cleans and repairs clocks.

COWDY—T' siam as a nag wi' plenty o' cooarn in't an' lal wark ta deea.

CON—Study. Ah conn'd it ower e' mi mind.

COOARN, COOARN'D—Cooarn t' nags; t' cooarn kist an' seea on. But a chap's gay weel cooarn'd when he's a snod skin on him an' plenty o' girth aboot t' boddom ov his waistcoat to hod his watch chain oot wi' ; an' ther's lang cooarn miad oot ov a whang an' a lal bit o' stick; t' farmer lads know what they're for, an' seea does t' nags.

CO'E-FRAE—Place of origin. Whars his co'e frae.

COO-BAND—What she's fassened ta t'rud stiak wi'.

COO-BAT—When tweea lads er hegged on ta feit, t' hegbattle 'ill say ta yan o' them " Give him his coo-bat." It's the gage o' battle on a smo scale.

COO-STRIPLINS—Cowslips.

COO-TEE—A short riap miad o' hair, wi a loop at yah end an' a short bit o' wood at tudder. It's used to lap aroond a coo's hinder legs ta keep her whiat tell she's milked.

COONT—Sum. Read an' write an' coont.

COONTIN-BOOK—Arithmetic.

COO-YOKE—A coo at wears a yoke carries her character on her neck, an' he who runs may reed 'at she's a lowp dike.

COPY—T' lal'uns sit on 'em, as weel as fooak 'at's milken.

CORKER—A surpriser. T' nag's run away an' brokken t' cart stangs off, an' thrown t' cart ower. Whia noo, that's a corker, an' us seea thrang.

CORKERS—Winners.

CORKED—Conquered in a succession of games.

COW'D LOORD, COWT LOORD, COW'D LADY—A haver meal dumplin boil'd e' broth. Says Anderson :

> " A three quart piggen full o' keale,
> He'll sup, the greedy sinner,
> Then eat a cow'd loord like lead,
> Ay, onie day at dinner."

COWEY—" Cowey, my cow," said a poet, an' t' critics could mak nowt ato on't. A cowey coo is aboot as useful an' aboot as harmless as ow't 'at's gaan. Tweea coos hed been feitin' an' yan gat a horn off wi' 't. " Knock tudder off, Goordie, an' mak her a cowey," said a lass when she saw 't. " Cush, barn," said he, " Ah nivver hard seck a tial as that afoor.

COWL—To rake wi' a cow-rak. Bunyan in his immortal vision saw a man 'at was always cowlin'.

COWLEN—A gurt cowlen chap is yan 'at's built in a strang useful way, an' net ower fine.

COWS and CALVES—Bulls and whys; lords and ladies, cuckoo pint—the " Arum calamus."

COTTONIN'—A sound thrashing. He gat a good cottonin' fer his pains.

COCK-THROPPLED—A big lump at front ov a body's thropple.

CODDY—A fooal, er owt at's lal ov its mack—a coddy stack, a coddy hoose, er a coddy ciak.

COG—Yan's oft tian doon a cog without exactly knowin' hoo much, er hoo far that is.

COGLY, COGLETY—Owt 'at's varra coglety is summat 'at's gaan ta fo' if owt clatters up again 't, an' Ah've seen a chap's legs as coglety as could be.

COLLIER-LAW—First here t' first sarra'd.

COBBY—Frisky; chirpy; fresh.

COB—To pull the hair, to strike.

COCKLING—Cheerful, boasting.

COFFIN—A cinder bounding from the fire shaped like a coffin, and looked upon as an omen of death.

COG—A wooden dish, a milk pail.

COG—To load the boot or clog sole with snow or clay—it cogs.

COLD-FIRE—A fire, or rather fuel made ready for lighting.

COLE—To put into shape, to hollow out.

COLLEY—Butcher's meat.

COLLOP-MONDAY—The day before Shrove Tuesday.

COOP-CART—A cart enclosed with boards.

COTTERIL—A small iron wedge for securing a bolt. Sov'rens ano.

COUPER-FAIR—A market held at Kirkby Stephen the day before Brough Hill Fair.

COVE—A cavern, a cave.

COCKING—Domineering. Noo Ah'st nut hev thi cocking ower me, seea than thoo knows.

COCKLOFT—A hay mew up in a garret, ower t' balks. A grand spot ta field in; likely at yah time t' cocks wad feit up theer.

COCK-STRIDE, COCK-STRUT—An insignificant item in distance. Whia, what noo, it's nobbut a cock-stride.

COCKER—T' man at maks rules fer iv'rything is co'ed Cocker, an' owt at izzant diun as it owt ta be, a bit o' slape tailed wark, er owt 'at's underhand an' mean, is said ta be "net up to Cocker." Lang may Cocker cock ower us if he's gaan to hev us streyt.

COCK-OWER—To act as a disagreeable task master. Thoo'll nivver cock-ower me, seea noo than thoo knows hoo far ta gang.

COCK-PENNY—T' fee 'at used ta be paid ta t' skiul maister was co'ed a cock-penny.

CODLINS—Ye know—t' Keswick's at mak yan's mooth watter to think aboot.

COLOOAG—On t' smiddy hearth, an' shoemaker's shop, an' i' o' maks an' manners o' whols, fooak colooag betimes when they meet for a crack.

COMFORTER—A knitted muffler.

COO-GATE—A run, or right to pasture a cow on the common; also a path on the side of a hill which the cows have made and use.

COO-TROD—Siam as coo-gate.

COONTY-CROP—They powl their heeds bare i' gaol, an' deea 't fer nowt, seea a coonty-crop's yan o' that mack.

COO-GREUP—T' passage behind cows in a byre. T' greup's whar o' t' muck ligs. Ah dud'nt tell t' tial aboot t' chap 'at cured t' coo frae makken him seea mich muck, bi stoppen her fodder; ner that yan aboot t' purse 'at gat eaten up wi' 't breeches, an' hoo t' chap gat it back. Some day Ah'll tell ye mappen.

COWPRAS—Purchase; prize; fulcrum. If Ah could nobbut git a bit o' cowpras it wad siun come.

COVERED'—Ass a groom fer perticlars.

COOARSE-HOOSE—[Corpse-house] A house where one lies dead and over whom the neighbours met for a service of prayer and singing the night previous to the funeral. A custom almost if not entirely out of use.

COARSE-GRAINED—Aye for sewer. What it's a foul tongue, er a soor temper, an' biath tagidder. He's a coorse grained auld tagalt.

COBBLES—Ye'll find some at t' beck side.

COCK O' T' WALK—A chap 'at's gitten ta be t' maister ov iv'ry body aboot him is co'ed t' cock o' t' walk. Seea wi' owt else.

COCK-DRUNKS—T' berry o' t' moontan esh.

COD—Tease; banter; ther's a lot on us 'at's far mair reddy ta cod ner be codded.

CODGER—A term of familiarity; t' auld codger's fresh again.

COLD-SHOULDERED—A complaint some nags hez, an' it spreeds ower aw't carcase o' them when they're yoked tull. Ah izzant ato sewer but men fooak hev 't ano at times. Best plan when yan's a bit cauld-shooder'd is ta buckle teea an' intult.

COLLISON—T' idle dog 'at bites fooak when t' wedder's het and smittles them.

COPY—A field. T' bull copy's varra oft a field tian oot ov anudder wi' a wo'. But when yan thinks on't a lot o' fields is o' that sooart.

COPY-HOD—Copyhold tenure, but ass a lawyer aboot this yan.

CORPSE-ROOAD—Ugh! But ther's yan again Morlan' an' them stians mak t' flesh creep up yan's back ta think on.

COTTERED—Mucky woo, er hair o in a lump.

COWP—Swap; exchange; barter. Lads cowp knives an' marvels.

COWP-CART—A cart wi' gimmers i' t' stangs; it'll towp up withoot lowsin oot.

COWP-BARROW—Yan wi' sides on.

COWRAK—T' lass fergat what they co'ed t' cow-rak, when she gat oot o' t' seet o' t' coo's, but she thowt on when it catcht her fair on t' mooth varra sharp.

COW-WIDDOWS—To lead cows with.

COO—Flay. Nivver let yan at's less ner thisel coo thi.

COOAT—A cover of straw or fern to put over a beehive. We co that a bee cooat: a stack cooat's t' thack.

COOTER-SNOOT—A nose of elephantine proportions.

COOTER AND SOCK—T' plew irons.

COCK-NANTLE—Domineer. Ah'll nut be cock-nantled ower wi' bits o' upstarts.

COCK O' T' MIDDEN—Master of the situation. See cock o' t' walk.

COBBLEMENT—Badly put together. It's nowt but cobblement.

CONSATE—Faith, trust, fancy. Ah've neea consate i' him. It was o' consate. [It was consate 'at miad t' chap 'at he couldn't eat billy-goat pie, he said when he stack't he saw 't whingen, an' he couldn't consate thought o' eaten him.]

COCKLES—Tak a drop o' rum it'll warm t' cockles-o'-yer-heart.

CRACKLINS—Same as crautins.

COME-FORRAD—A homely welcome to the fire-side. Whya what come forrad wi' ye. Hoo a young chaps's fain ta hear 't at times yan's neea casion ta say.

CRAB—A wild apple.

CRABBED—A sour body. Crabbed as an auld cuckoo.

CRACK—Whia, what ye'll come in an' we'll hod a bit o' crack aboot things 'ats gaan on.

CRACKAN—Hevven a good cheerful talk ta yan annudder. We sat crackan on ower a drop o' gin tell it was far liater ner we thowt.

CRAIN—What t' kettle er t' kail pot hings on ower t' fire. Crains is like a lot o' mair things—they're gaan oot o' date.

CRANCH—Green berries, sour apples, pes, owt o' that sooart. Ah yance was catch't up a' apple tree deun mi best ta git t' belly-wark, an' t' lady at catch't mi sed Ah was a lal brossen cranch kite.

CRATCH—A stiul 'at farmers sauve sheep on, an' shoe-makkers sit on. Ah fancy " Com up ta t' scratch" means t' siam thing.

CREEPER—Andiron. What it's co'ed t' creeper fer Ah dut know, unless it's becos it keeps t' fire frae runnin' under t' yubben.

CRIAMED—Afoor iron an' pot things gat seea common, plates, an' platters, an' dishes were miad o' wood, an' when they gial'd wi' t' heat they hed to be criamed, er stitch't up wi' wire.

CRIPPLE—Ass t' coo doctor what ails a coo when it'll eat a body's kytle, er owt else but gerse—that's cripple. Peur sairy things, wi' ther hides bund as hard as a millstun, an' ther rigs set up like a bacon collop i' t' fryin' pan.

CROOANIES — Comrades. We war allus famish gurt crooanies was him an' me. [There is not much " gush " in the sober denizens of our northern counties, but for the steady life-long attachment, kept up under the circumstances the most unfavourable, and finding perhaps the most scanty expression, who has a better word than crooanies ?]

CRONK—Cronkin' aboot a public hoose, er a smiddy harth, an' seck like spots is a bad sign.

CROP-LUG'D—Yan ov oor poets co's t' auld Roondheeds a " crop-lug'd canten crew," an' happens it's oot o' that 'at we get oor " cut lugs " 'at cap't Ould Cleeaty.

CROTLY—Lumpy, siam we'll say as a field 'at's been plewed an' harrowed an' 's full o' lal hard clots.

CROWDY—Git some haver meal an' sco'd it wi' het broth, er watter, an' it 'll be a crowdy. It's a good sign when a chap knows when it's crowdy-time withoot a watch er owt but his stomach ta tell him.

CROPPER—A nasty fo'. Ah com a cropper when t' auld yod stopt o' at yance, an' Ah flew ower t' heed.

CRAKE, CORN-CRAKE—Ye'll pick these oot bi' t' soond o' them ; they're o' that soort.

CRAMMEL—Say ye've ta git ower a wo', er a dike, er up a hoose side, er gang ower a lot o' cobbles, ye wad crammel ower 't. When ye've corns, an' nang nails, an' segs o' yer feet, seea 's ye can hardly nammel an' gah at o, they'll mak ye crammel. A pair o shun et's ower lal owder.

CRAUTINS—When t' leaf's bin rendered inta same, t' crozl'd lumps o' fat's co'ed crautins.

CREE—Rice, barley, er owt o' that mack, set ta soffen.

CREEP—Huddle. It maks yan creep up ta t' fire. Summat flaysome maks yan creep o' ower.

CRIAM—Sow up a crack in a wood bowl wi' wire.

CROPE—Git t' broon titus, an' yer breest set on ta yer back tel ye can hardly blow, an' ye'll know what it means ta crope.

CROPPUN—To evade being seen. Aye si' tha' ah' t' auld beggar wad ha' croppun intul a moose whol ta keep oot o' seet o' yan.

CROSS—As cross as tweea sticks means oot o' temper.

CROZ'LD—Owt 'at's fried er rooasted tel it's neea mair nature left in 't.

CRUDLE—Ta hotch up varra clooas ta yan anudder, like tweea young fooak under yah umberel when t' neets is dark an' wet. It's a gay auld un is crudle.

CRIB-SOOKER—A horse that chews its crib, or a cart end board, or a yat bar.

CRIPPLE AT A CROSS—Ah nivver saw yan, but they're laddies ta beg, an seea Ah reckon this is a gay auld 'un. " He begged like a cripple at a cross."

CROCK—An auld nag 'at's used up, er a sheep, er a body.

CROFT—A field near the homestead.

CROP—A joint of meat; ass a butcher whar he gits 't.

CROPT—Powled. Hair cut. Ah hed mi hair cropt.

CROW-FOOT—A wild flooer.

CRAB-VARJUS—A whent auld chap 'at liked yal er owt else oot ov a glass, went tul a brewery an' fer a breck they gev him a glass o' vinegar. " What sooart o' yal's that, noo, Tommy ? " " Oh," sez Tommy, " it's varra good yal, but it's as soor as crab varjus."

CRADLE—Fastened on to a corn scythe to place the corn ready for " shaffin."

CRADDA-BIANS—When a chap's seea lean 'at yan could fiddle on his ribs, then he's a cradda-bians.

CRAFT—Cunning; deceit. Let's hev nin o' thi craft.

CREEL—To go about in a stealthy, sneaking way. Thoo need'nt creel aboot like that.

CREEL'D—Shrunken, starved. He liuks a peur creel'd setten on liuk.

CRUTCH—T' pommel ov a side saddle.

CRUTLET—Crippled, decrepid, crooked.

CRACKAN—Boasting; praising.

CREEL—Cratch.

CROW-PEZ—T' seed o' t' fitch.

CRUD—Curd.

CRUTLEN—Recovering. Ah's crutlen oot nicely.

CRUEL—Extreme; excessive. A cruel good crop, a cruel lang time, a cruel gurt eater.

CROBBACKEN—A severe handling. Oh man! but Ah'll tell thi what that new yal it dud gie me a crobbacken. The reference is chiefly to internal disarrangement.

CUSTOMER—An original character. He's a gay customer wi a sup o' yal in him.

CUCKOO-FLOOR—Bachelor Buttons.

CUCKOO—Hide and seek. Shoot "cuckoo" er Ah'll give ower.

CUCKOO-SPIT—Ye find it on t' gerse an' floor stalks; it hes t' egg of a grasshopper inside it. N.B.—It's happen summat else ner a grasshopper, but it's summat o that mack, and this izzant a nat'ral history.

CUCKOO-AN-T'-LAL BIRD—T' cuckoo hes a lal mate 'at flees aboot a hundred yerds behint it, an' when ye see a gurt whidderin' lass wi' a lal bit midge ov a chap, er a chap tweea yerds lang wi' yan hauf his size, ye've seen t' cuckoo an' t' lal bird.

CUDDY-BUSTARD—Siam as bustard.

CUFF—A cuff under t' lug is nut siam thing as a collar to weear aroond yan's shacle.

CUNN'D—Count rapidly. " And Wully cunn'd ower six score pund."—*Anderson.*

CUSTARD—Coo pie, they co them i' some spots, but coo tart is mair proper.

CUT-LUGS—Ther's lots o' things 'at caps cut-lugs, but what er wheea cut-lugs is caps me ta tell ye, but Ah've hard it said many a time 'at he capt Auld Harry.

CUNDERTH—Is whar t' watter runs under a yat steed, er a rooad; it's a culvert.

CUSH-MAN, CUSH-BARN—Fullins up. Cush man! but thoo is a gurt ninny-hammer. Cush barn! I is wet. An' seea on.

CUSH—What fooak shout when they want ta tell t' kye ta come an' be milked.

CUTTERAN—Talkin' in loodish whisper an' nivver givin' ower. They're allus cutteran yan tull anudder; Ah mak nowt ont ato, barn.

CUTTY—A lal cutty bit o' owt means nut ower mich.

CURR—To crouch. He was curren doon when Ah saw him.

CUT—To exceed in jumping. He went thirteen feet t' first lowp, but I cut him bi' three inch.

CUTS—Lots. [To draw cuts is mainly done in the transactions of lads by cutting straws into different lengths].

CUDDLE, CODDLE—This izzant a "Young Man's Companion," ner a "Correct Guide to t' Art o' Cooartin'," an' as maist o' fooak know what cuddlin' and coddlin' means withoot printed directions we'll gang on tul t' next.

CUDDY—An ass fer yah thing; a gurt numcuddy's anudder.

CUDDY-HULL—It's whar cuddy leeves.

CURMUDGEN—A churlish person is a gurt greedy cur-
mudgen.

CUT—A joint of meat.

CUT—Any particular bearing. An' it's fair cappen hoo far
off a man can be telt bi' his cut.

CUSHAT—Wood pigeon. The dolorous tones of the cushat
and pee-wit are by legend ascribed to the fact that once
they changed nesting places and ever since have rued it.

CUT-THI-STICK—Sling thi hook—be off.

CUT-AN'-COME-AGAIN—Owt 'at's diun in a gurt hurry
afore yan taks off.

CUT—Ye know—what cauves, an' swine, an' bits o' lams gah
through, 'at t' male kind.

CUT—T' loop at end ov a swingletree.

CUT-OV-HIS-JIB—The face. Sitha Ah cud tell bi t' cut o'
thi jib 'at thoo was yan o' auld Willy lads.

DAB—A dab i' t' ee's yah thing, a dab o' butter's anudder.
Yan dabs a het plate doon in a hurry an' sometimes yan
fergits whar yans dabbed yans jacket er shun. Its a
queer word ta describe is dab, but its useful for o that.

DABSTER—A canny skilful body wi' owt they tak in hand ta
deea is a dabster. Some are dabsters at shuttin, some
at mowin, others at wrusslin, some amang t' kye, er t'
yowes, er t' meears.

DAFT—Without ordinary judgement or sense. Ah's deef an'
daft as a yat.

DAME-SCHOOL—They're gone, and their places know them
no more. T' rising generation 'll nivver know, an' they'll
be hard to mak believe in a bit, hoo we used ta be edu-
cated wi' an auld woman, an' amang her hoose wark she
wad larn us oor A B, abs, an' twice times yan is tweea,
an' a bit o' t' biuk wi' t' ledder back an' t' brass clasps.
Hoo we used ta field her specks if she was catted, an' full
t' chimley wi' streea if we wanted ta shirl! What lickens
she wad giv us wi' t' birk rods 'at we'd miad her—literally
enough fer oor awn backs—an' what glee we used ta hev
when she was liam an' cud'nt stir oot ov her chair! T'
diam skeul 's gian, but it's green in oor mem'ries whar a
lot o' things ov auld lang syne er sided.

DANDER—A blow; the head; the temper. I catch't him a
dander wi' t' flail. It dropped fair on ta mi dander. Keep
thi dander doon.

DANDY-GREY-RUSSET—A dark rusty colour not unlike a
mouse's belly.

DARK—To hide. Dark doon aback o' t' yat stoop.

DARK—Secret; gloomy; morose. He's t' dark side oot.

DARK—To rush suddenly from a hiding place. He wad dark
atop o' yan afooar yan hed time ta think.

DARK'T—Sheltered. We dark't aback o' a stack.

DARKEN—Prowling; skulking. What's thoo darken efter?

DARRAK, DARGUE—Good classical scholars 'll use this yan an' net be shamm'd on 't—John Ruskin amang them. It means a day's wark, er hoo mich yan can deea in a day. A darrak o' mowin, threshin, plewin, an' seea on. In a good day's darrak many a yan hes as much pleasure yet as some hev 'at's allus laiken.

DASH—A young oath. Dash it, ah left mi pipe.

DASH-BON, DASH-IT—T' least said t' siunest mended; but they're theer fer o' that.

DAUP—The carrion crow. Aye fer sewer, but its a nasty word fer nasty fooak as weel. seck as a gurt mucky daup.

DAWDLE, DAWDLIN, DAWDLY—These er o o' yah sooart, though they're different macks—they o mean idleness, muck, an' misery.

DAYTAL-WARK—Labour that is paid for by the day, as distinct from piece work, or half-yearly or yearly engagements.

DADDLE—Barn tak. Let's wag thi daddle honey.

DANDLE—To hush a child by swinging it in the arms :

> Dandle, dandle, o' the day,
> 'Twad ommost drive yan wild,
> Ta sit six months e Carel Jail,
> An' nurse an iron child.

This was the punishment of a class of fathers whose financial obligation had been neglected.

DAMPER—Taken down a peg. Than ther's yubben damper, fer t' draft.

DAM—Female parent; generally used of quadrupeds, but sometimes of the human mother.

DAFFY-DUM-DILLY—The daffodil.

> Daffy-dum-dil that grows by the well,
> Neeabody can git thi but me misel.

DALT, DOTE—A stone fence, or dyke, or railings, made and repaired by various parties with common rights.

DAL—A mild form of swearing. O' dal' it yer wrang this time.

DEZEMENT—A very severe chill. He's gitten a dezement o' cauld.

DEED—Doings. We hed rare deed.

DEZED—Addled. Noo Ah izzant at o satisfied 'at addle hes owt to deea wi' rotten eggs, as dezed hez. Owt 'at's addled 's reet, an' owt 'at's dezed 's rang, siam as rotten eggs, starved finger ends, er nooases blue wi' cauld.

DEETH-WATCH, DEETH-CLOOK—The tapping of the wood bug regarded as an ill omen.

DEETH-STROKE—A well-informed person assures me that it is not unusual to hear the "switch" on the roof or window of a dying person's room : it is regarded as the final summons.

DEAL—A great amount. He left a deal o' debt.

DEAL, DOLE—To portion out amongst various persons, seck as ta deal cards. A charity—Christmas dole, an' St. Thomas' dole.

DEET—This is a varra auld 'un. It means ta git t' caff oot frae t' grain.

DEETIN-MACHINE—Ye know what a deetin-machine is, sewerley. It seems afooar t' man invented them they used ta hev ther liathes upstairs, an' a lal deur fair anent t' gurt. 'un, an' t' waf o' wind used to deet for them when they threw t' corn up wi' a shool.

DECK—To dress in a precise way. She's deckt oot i' t' best bib an' tucker.

DEED-HORSE—Wark 'at's bin paid for afooar it was diun, er when a chaps subbed. Workin' at deed horse is poor policy.

DEED-LICE—When t' deed lice is droppin' off it's a bad do ; it spells idleness mainly.

DEEA-UP—To tidy up. I'll deea up aboot t' hearth. Deea t' nags up.

DEEAL, DEEAL-HEED, DEEAL-FIUT—A dwelling place in a valley amongst the fells.

DEEAL-SIDER—A resident in a dale, as distinct from the village or town.

DEEF-NUT—Nuts 'at hes neea kernel in. A chap 'at's gay weel cooarn'd an' plenty under his waistcoat is said ta crack neea deef nuts.

DEEVE—Deafen. Mak a less noise ; ye wad deeve a door nail.

DEFT—Whiat. Ta gang on yer tippy teeas ta catch a slenk o' some mack in a mischief.

DEG—Damp.

DEGGIN-CAN—A watering can.

DELVER—Drainer.

DEM—To stop a drain with sods. T' auld chap at liked yal used ta say 'at owt less than a pint was neea good, becos it nivver demmed.

DESS—To arrange neatly. Dess them things up a bit. She was dessen hersel afooar t' glass.

DEVIL-I'-T'-BUSH—Grows i' t' garden, used fer pultices when inflamation's aboot.

DEVIL—Nay nut him barn—but t' clod-river.

DICK-HATBAND—As queer as Dick-hatband 'at went sebben times aroond an' wadn't knot.

DIBBLE—How they sow beans yan at a time i' yah whol.

DICK—Short fer Richard, an' also a biter in a barn's head.

DICKY, DICKY-BIRD—These explain thersels. A false shirt front is co'ed a dicky, an' t' seat whar t' coachman sits is ano.

DIDDER—Shake. He miad o t' pots on t' shelf didder when he bang'd deur tull wi' seck a clatter.

DIBS—Sov'rins.

> " When he'd gitten his dibs
> He stood for twa squibs."—*Bowness.*

DIDDLE, DILL—To soothe a child by swaying it to and fro in the arms.

DIDDLE—Deceive. Ah was diddled that time.

DIKE—A hedge of every description is so called.

DIKER—One who repairs and trims hedges.

DIKEY-SPARROW—A sparrow whose nest is built in a hedge, as distinct from that which builds in walls.

DIKIN-MITTINS—Strong leather mittins with which the diker protects his hands.

DIKE-BACK, DIKE-BREEST—Whar t' dike grows. Grand spots fer chitty-nests, blue vilets, strawberries, an' seea on.

DILDRUM—A muck sweet. Thoo's put me in a dildrum.

DILLY-HOOSE—A whol i' t' dike breest er wo' boddum whar t'lal 'uns mak a babby-hoose an' full 't wi' laikens.

DING—Reap up old offences or failings. He wad ding it in his teeth that his mudder powled him.

DINNLE—Hit yer elbow ower a throo, an' it'll dinnle reet oot at iv'ry finger end. Noo that's o.

DIRL—Nip aboot in an active manner. Yan can dirl aboot when ther's a bit o' frost on t' rooad.

DISH—A hollow. He supt oot o' t' dish ov his hand.

DISH—Deceive. He'll dish thi oot on 't.

DISH—Cup. Sit doon an' hev a dish o' tee an' seck as is gaan.

DIDDER—A rough blow. Ah gat seck a didder on t' heed.

DINGE—A dent. Thoo's dinged t' can. A chap's heed 'at's dinged in hes a hollo spot in 't.

DOOMENT—A jollification.

DISABILS—This is varra common like this—T' preest co'ed ta-day an' catcht us o' e our disabils, Ah durt know what he wad think, Ah's sewer. Noo ye gurt wise men will ye put yer nebs across 't an' tell us aboot its co' frae.

DOLED-OOT—Tired out. Stoad.

DOBBIE—A ghost.

DOITED—A bit maffly wi auld age.

DOG-SNOOT—Gurt hard apples. Cauld as a dog-snoot.

DODD'T—Without horns, lacking some usual part, as a dodd't coo. It liuks varra dodd't; *i.e.* unfinished.

DOBBIN—A melder o' drink.

DODDER, DODDERY, DODDERY-GERSE — Tremble ;
vibrate; shake. A.man's hand 'll dodder when he's hed
a lal drop—just a lal drop mair ner he thowt o' hevin, but
fer t' company an' t' hoose; iv'rything i' t' hoose 'll dodder
when a gurt rough lad gahs clointeren up an' doon in his
clogs ; an' when a body's time's gitten short t' first sign
on't is t' dodderen limbs. Doddery-gerse, er doddery,
iv'rybody knows what it is—it's trembling grass.

DOFF—To undress. Doff thi wet clias off.

DOGBERRY—Mountain ash, cherry, an' some mair macks o'
things o' that sooart.

DOG-NOPER—Ah nivver saw yan. Dud ye? A fellow wi'
a lang stick nopin fooak asleep i' t' kirk, er t' cooaly cur
'at hed croppen in efter t' gaffer, peur thing.

DOLDRUM—T' siam as dildrum.

DOLLOCK—An unsightly mess.

DOLLOP—Aboot as nasty an' unpleasant as dollock, but this
is aboot a body, an' aboot a peur sooart ov a body if she's
a dollop. Mucky, idle, shiftless.

DOLLY, DOLLY-TUB, DOLLY-LEGS—An idle dolly is one
who delights in 't. Ta wesh clias is ta dolly them in a
dolly-tub, wi' dolly-legs. An' a dolly is yan 'at duzzant
gie them ower mich dolly afoor they're on t' dike.

DONK—Thick mist 'at sticks tull. T' chap said it war
mungy donky sooart o' wedder 'at dud neea dow fer nowt
ner neea body.

DON—Dress. Ah'll don mi Sunday clias an' gah wi' ye.

DONNED-UP — Dressed in other than working clothing.
They're gian doon t' toon i' ther bettermer duddins.
Donned-up fer a weddin' er summat.

DONNET—A naughty child. Thoo lal nasty donnet. An
auld donnet has reference to qualities that are not com-
mendable.

DOOAFI—Soft ; clammy. A body's dooafi when they're
easily fatigued, tired, or beaten. Bread's dooafi 'at's not
enough.

DOOK—Bathe. We went ta dook i' t' lum. Also to throw
water over anyone. He gat a dookin' wi' t' watter can.

DOON-FO—Not the down-fall of empires, or of kings, but the
soft and silent snow. We're gaan ta hev some doon-fo.

DOOP—Bend down. Doop doon wi' thi' heed er thoo'll git
thi hat knock'd off gaan under theer.

DOTTEL—Noo ye smiukers, ye know what t' dottel is, an'
ye're aboot o' 'at does ; it's grand, izzant it, when it's
fairly hauld? T' dottel's t' pipe boddum 'at smiukers tak
oot an' put on t' top o' t' next reek.

DOTE—Helping; serving; what yan's to hev. Thoo sees
that ? That's they dote, and thoo'll hev ta mak 't sarra.

DOWIN—Lunch, ten o'clock. Aye! aye! thoo allus manishes ta land up aboot dowin time.

DOWLY—Lots o' gurt fooak er allus bodderen aboot nacken talk, whar it co' frae, wheea used it, hoo it com, an' seea on. Noo here's yan at's come streck frae nature's heart, 'at's bin allus used amang " grey farms, crags, and the stony ways of the mountains," but neeabody bodders aboot it ner its history. If words could talk it wad tak us a gay bit ta hear o 'at this word hed ta say aboot lianly looanens, an' deserted ho's an' hiams whar boggles hes' 't o their awn way. An' yan was tellin' me net lang sen hoo " dowly " it was at times in a gurt town whar she kent neeabody at o an' nivver saw ner hard a coo, er a cauf, ner a sheep. Seea what it izzant allus dowly becos ther's neeabody aboot but yan's sell, an' it's possible ta be dowly in a crood, wi' gas leets as thick as hail, an' plenty o' stirrins gaan on. But boddumly, that's t' meaning on't whiat, dark, an' iv'ry thing as whisht as a griav. Whar ye can hear yer awn thowts an' git freeten'd o' them. That's dowly.

DOUBLE-JOINTED—Extra strong. Siam as Yankee Doodle pig.

DOW—Condition ; character. Hoo er ye? Ah's nowt at dow ato barn. He'll nivver deea neea dow skitteren aboot as he does.

DOG-FO—In wrestling when both come down and neither can be declared as victor. A dog-fo's ta deea ower.

DOG-DAISIES—Wild Marguerite.

DOCTOR—Patch, mend. Doctor mi auld shoon will ye.

DOXY—A term conveying contempt. She's a smart doxy.

DOG-TROT—A hauf-breed between a walk an' a run. He was gaan at a dog-trot.

DOON-MOOTHED—A body wi' their spirits doon an' show-en 't.

DOON-LIGGEN—This yan hes reference to t' increase o' t' popylashun.

DOZZEL—An ugly lump o' varra near owt. An auld chap was taken t' butter ta t' market, an' e garn gat ower mich yal an' he towtel't ower an' sat doon e t' swill wi' t' butter in 't ; "cush barn," says he, " but seck a dozzel ye nivver saw."

DOAD, GOORDIE—These is hiamly words for George.

DOG-LEG—Owt 'at sud be streck but 's gitten kessen a bit. As criukt as a dog leg.

DRIP—As white as drip.

DRABBLE, DRABBLED—Jarbled wi' watter an' muck.

DRAFF—Brewers' grains, given ta t' kye. Ah's as wet as draff.

DRAFFY—Exhausted; neea list fer nowt. Ah's as draffy as can be, an sweet wi' nowt.

DRATE—A slow mack o' talk er singin'.

DRAUGHT—A drawt o' nags is different frae a drawt o' yal; it's a pair.

DRAW—To irritate, question, or get one to expound his views. He gat his rag drawn, wi' t' lawyer tryin' ta draw him.

DRAW—When a chimley wants firin', er a pipe stopple's stopped, it's said they won't draw.

DRAW-KNOTT—Yan 'at 'll lowse.

DRONE—A mouth reed made of sycamore bark.

DROONDED T' MILLER—When ye've putten ower mich watter i' yer crowdy; letten tea doon tell it's that wake it won't run oot o' t' pot, an' seea on—that's droonded t' miller.

DRIFE—Snow that is driven as it falls or after.

DREE—A long lonely road; a piece of work not over pleasant. Owt 'at's dree is summat at yan's weary on, but hes ta stick tul.

DREEP—A melancholy tone, neea matter hoo sweet.

DROP-BOX—T' barn's bank.

DRUB—Chastise. Ah'll drub thee thi jacket, thoo young taistrel.

DRUBBED—Taken to task. That lad mun be drubbed, er he's gaan ta be spoilt.

DRUBBIN—Thrashing. He gat a good drubbing fer his pains.

DRY-WO'—A fence built wi' cobbles an' neea lime.

DRY-WO'ER—A chap 'at can wo'.

DRAT, DRAT IT, DRABBIT, DIVICUS O' LAND—All mild swear words.

DRINKIN'—Ten o'clock. Snack of refreshment in the forenoon. T' drinkin's reddy.

DRAAP—Same as dreep.

DRIFT—Fettle. He's e' gay good drift. Means of making a living. He gat intul a good drift an' dud weel.

DRUFTED-SNOW—Snow droven inta drifts wi t' wind.

DUBBLER—A gurt yarkin plate fer meat.

DUFFLE—Rough, open cloth for week-day clothes.

DUBBLE—Fer t' barn legs.

DURTMENT—It means varra near owt at muck line 'at's oot o' t' spot. A lad 'll tak a armful o' cicely fer his rabbits inta t' hoose. His mudder 'll say: Tak o' that durtment oot o' mi seet an' durt mak sec a scrow.

DRY-BELLIED-SCOT—A lad gam.

DUB—Whar they dook, an' wesh sheep. Cutten dog lugs off, an' cock cooams, an' that mack o' craft.

DUCK—A coddy liaf wi' a neb on 't fer t' barns at biaken day.

DUCKI—A lad's game, laik't wi gurt marvels er lal stians.

DUCK-TEAL—A wild duck, er summat o' that kind.

DUCK-WINE—Cauld watter.

DUD'NT—Shorthand for did not.

DUDS, DUDDINS—Clothes. Pack up thi duds an' tak.

DUMMLE-HEAD—A clumsy, thoughtless person. Thoo gurt dummule heed thoo.

DUMMY—One who is dumb.

DUNCH—When a goat attacks his enemies, of his own kind er any udder, he dunches them.

DURDUM—A nurration. Durt kick up seck a durdum aboot nowt.

DUMPS—Low spirits. He's doon i' t' dumps.

DUMP—To throw down unceremoniously. He shot t' cart up an' dumped it doon o ov a heap.

DULBERT—Dunce. He was yan o' t' biggest dulberts ye ivver saw when he was a lad.

DUSTY-MILLER—The flower of the Auriculus or Reckless.

DUHT, DURT—Do not; durt gah far away, dinner's varra near reddy.

DUNNOT, DIV'NT—T' siam again.

DWALLOW—A chap said he'd a nasty dwallow tiast in his mooth, siam as if he'd bin eaten rotten eggs.

DWINE, DWINNLE—Wear away. It's a sorrowful thing ta watch when owt we like begins ta dwinnle.

DYKE-STOUR—A hedge stake.

EAR-BITTED, EAR-CROPT, EAR-CLIPT—Marks on the ears of sheep by which they are distinguished.

EASTER-MAN-GIANTS, EASTER-LEDGES — Easter docks.

EASEN—Eaves of a house or a stack. When t' easens begin ta drop efter a frost it's a sign ov a thow. It's grand when yan happens ta git under t' easens an' it runs inta yan's neck whol.

EBBEN—Straight. It's rainen ebben doon.

EBBEN—Even; quits. Ye an' me's ebben noo.

EBBEN—Imp. Thoo's a nasty saucy young ebben.

EBBENS—Aims. Thoo ebbens ower hee.

EBBENED—Aimed, intended. We hed ebbened ta hev co'ed at your hoose, but it gat ower liat.

EBBEN-UP-AN-DOON—A streyt forrad, blunt, honest fellow, 'at can be trusted. He's ebben up an' doon wi' o' 'at he hez to deea wi'.

EBBEN-ON—Just suitable. He's a lad 'at's ebben-on seck a job as that.

EBBM-MARRAS—Exactly alike. That cap's t' ebbm-marras o' oor lad's.

EBBUT—This yan taks summat off; it maks sarten conditions; it's a qualifier. Ebbut thoo mun understand Ah's gaan ta hev mi price. Ebbut if it rains we sall hev ta stop at hiam. Ebbut ther's neeabody but him an' me knows hoo much that job cost, an' we durt know to tweea or three pund. Ebbut thoo may say 'at Ah's leein', but Ah'st stick ta mi tial ta mi deein' day.

EDGE—Self esteem. A chap 'at's a bit bigger, er a bit handsomer, ner t' miast on us, an' walks on his heels, an' spreeds oot his teeas, an' cocks his hat o' yah side ov his heed, an' hods his chin up as if he was shammed o' walken on t' grund, is said ta hev a bit o' edge ov hissel.

EDGE—Appetite. Ah've nobbut a varra poor edge on fer mi breakfast.

EDGE—Shuffle. He wad edge oot as grand as ivver ye saw owt i' yer boorn days.

EDGE—Side. We sat at t' beck edge an' watcht t' troot lowp.

EDGE-LEEUM—A knife, razor, or other implement with an edge. T' barn izzant fit to laik wi edge-leeums.

EDGES—To set on edge. Give up skroken ; thoo edges mi teeth wi' 't.

EDGIN'—Ass t' lasses aboot this yan ; they allus seem thrang wi' 't, swappin' samples, an' matchin' on 't, and seea on. Neea doot they'll tell ye.

E'E, E'EA—The arch of a bridge ; the outlet of a lime kiln ; the channel of a stream ; an opening in a wall ; the part of a potato where it sprouts.

EDDERFUL—Angry ; revengeful. Thoo needn't liuk seea edderful as that. Ah's an auld man, but Ah's nin flait.

E'E-WHOL—Eye-hole.

E'E-BREEAS—The eye-brows. What for does thoo wrinkle thi e'e-breeas like that when thoo's talken ?

EERY—When t' wind comes whisslen doon t' chimla, an' through t' key whols, an' t' windas jadder, an' deed leaves er rattlen aboot, an' fooak draw up clooas ta t' hood niuk ta keep warm an' snug, it's eery. It's eery, teea, amang t' dowly looanens when ye've a lang giat afooar ye an' neeabody ta speak tul, an' t' yewlets is aboot, an' happen t' bats, if a cushat, er a rabbit, er a rattan stirs yan's skin creeps up yan's back, an' a body's hair stands streck up wi' freet, it's eery than, 'at is 't.

EEK, EWK, EWKY—Ther o' different sooarts o' yah mack. They mean itch, itchy, er what's commonly known as kittle. A sair spot 'at's mendin' ; when a flee er a midge hes hed their supper ; er a kiad's hevin' a trip roond, er a lot mair things 'at yan's neea casion to put i' print, but mak yan want ta scrat—theer noo ye hev 't, an' o aboot it.

EEM'NIN—Evening. T' eem'nins is creepen oot nicely—this about April er May, wheen dayleet's lengthnen, an' t' throssles er whewtlen, an' t' leaves biginnen ta bud, an' winter is past an' gone, an' t' day's o' t' singin birds is at hand yance again.

EEN—Eyes. Een as black as sleeas ; t' bonny bird een ; eeny taties, eeny breed, an' seea on.

EFTER—After, ov coorse. What's thoo efter? Nowt at dow, Ah'll apode. Sometimes t' lads er efter t' lasses; t' jobbers 'll be efter kye; an' some er efter owt they can lig hauld on.

EFTER-NOON—About a finish. It's a lang way inta t' efterniun wi' him Ah's flayed.

EFTER-TEMSINGS—Coarse flour after sifting; it makes good breed.

EFTER-CROP—A crop that is grown after a first one has been secured.

EGG—To incite to quarrel· Thoo's neea casion to egg them on at yan anudder.

EGG—To roughen. Sleeas fair egg yan's tongue.

EH?—A handy word fer them 'at's hard o' hearin'. A lot better ner " Beg your pardon," an' seck like ropement. Eh?

EKE—A portion of a bee-hive, added for the purpose of more easily obtaining the honey.

EKE—To make out for. Ah mun eke it oot as weel as Ah can.

ELBOW-TURN—An angle. T' blacksmith knows hoo it's diun.

ELBOW-GREASE—Noo than what? We o' know what elbow grease is when it's runnin' off yan's broo, and happen droppin'.inta yan's e'e afooar yan's time ta wipe 't off. Elbow grease an' stickin' playster er tweea varry useful mack o' things ta carry aboot when yan's a stiffish darrak at front o' yan.

ELDIN—At one time applied to turf and peat, but now generally used to signify the firewood chopped to light the fire with, " Gitten t' eldin in," and " Gitten his eldin in," have still meaning in the sense of making provision, or storing up for contingencies.

ELLIKER—Yal 'at's grown inta vinegar; as soor as elliker.

ELLAR, ELLARBERRIES—These er nobbut alder in annuder an easier way. Ye can use owder ye want fer t' burtree.

ELSE—Thoo'll be off ta bed er else. Ah war fasht wi' mi rheumatiz, er else. The alternative is understood to be of a serious nature.

ELLY—A point in football scoring. Whar they've neea goal stoops, they'll punch t' bo up again t' wo, an' that's a sooart; when they punch 't ower t' top o' t' wo inta t' next field, that's an elly, an they change ends. Ah've hed lumps o' mi shins as big as wo'nuts, an' t' bark peel't off i' spots wi' this mack o' craft, but Ah wad ten hundred times rayder be laiken ner talken aboot it.

EMPTY-HEEDED—Vain, shallow, pretentious. A victim of one of those "brecks" known as practical jokes will retaliate by remarking that it's some o' them gurt empty-heeded gofframites, 'at's lowsed his lin-pin, or, fielded t' cart wheel up a tree, er yoked t' nag wi' t' heed ta t' cart. Yah poor chap fan his nag yoked t' wrang way, an' t' stangs throo t' bars ov a yat. " Noo, this caps cut-lugs," sez he, an' he set tull an' sawed t' stangs off afoor he wad be bet.

END-NER-SIDE—beginning and finish; sense; Ah can mak nowder end-ner-side o' thi tial.

ENTRY—A passage.

ENGLISH—Decipher. A ca't English sec rubbish as thoo writes.

END-UP—To rear a cart up; to set anything on its end; to raise a person into a sitting or standing posture; to finish a task, or the day's work; " ended him up " an' " end up " er tweea varra useful spacks.

END-BOOARD—Aye, what noo, anyboby knows 'at t' end boords is at end o' t' cart, an' 'at they tak oot, an' seea on, but it izzant seea easy to put inta print.

END-OWER-END—To tipple " head over heels." Ah catcht mi teea ower a cobble, an' doon Ah went, end-ower-end, heedamaneckum inta t' beck.

ESH-CHATS—Seed of the ash tree.

ESH-PLANT—A walking stick miad oot ov a young ash tree pood up bi t' riut an' dried. T' lads aboot ten know generally what they're used for.

ESH, ESH'K—Ax or ask; ax'd or asked.

ESH—Ash tree.

> If t' esh tree buds afoor t' yak,
> T' following summer will be black,
> But if t' yak buds titter cummer
> 'Tis sewer ta be a drufty summer.
> Local saying—Joe Steel.

ETTLE—Noo " ettle " an' " addle " is varra near akeen withoot a doot, but ther varry different i' application. Gurt addlers is sometimes poor ettlers, an' a good ettler 'll mak up fer varra lal addlins. A body 'at can ettle ther income oot tell it 'll gang farder ner ther ootgang; yan 'at can use an' plan iv'ry thing tell it 'll gang varra fardest possible way; anudder 'at 'll plan his wark oot seea as he's just eneuf fer o his time—this means ta ettle 't oot.

EVE'S-APPLE—This is an auld 'un, by gum! We're cock throppled becos Eve apple stuck i' Adam throoat. Yan wadn't a thowt it, sewerly, at a bit o' apple wad hev diun that for him awovver.

EVERLY—Constantly. He was everly at it wi' a nivver ceasin'.

EYE-SWEET—Work that is done neatly; ornaments; some addition to the dress for show more than use; anything to please the eye. Ah durt like that gurt feather thoo hez i' thi hat; it's a gay bit off beein' eye-sweet ta me.

FARE--Completely. Ah's fare worn oot; Ah's fare doon weary o' thi bodder.

FACE—To meet an' argy. Ah'll fias 't oot wi' him. Set a face means to come to a decision and carry it out. Cooarten chaps 'll know what it is fer them ta set a fias on't an' carry t' through.

FADDUM—An armful. As mich as ivver ye can faddum. To get at the root meaning of anything. Ah'll faddum that tial.

FADGE—Shuffle. Fadge aboot amang t' snow.

FAIN—Pleased. Ah's fain ye've come.

FALDERDALS—Ornaments. Neea falderdals fer me.

FAMISH—Very well. We'll mannish famish thenk ye.

FAMOUS—Notable. He war a famous gurt leer.

FAUCE—Sly, pawky. As fauce as a fox.

FANTICKLED—The freckles which adorn those of a fair complexion.

FAR-LARN'D—Deep larn'd. He war a far-larn'd chap.

FARN-WOO'—Wool that is pulled off the sheep backs as they pass through the smoots in the dikes.

FARRAND—Fashioned. An auld farrand barn.

FARROW—A sew liggin in.

FAVVERS—Has the appearance of. Wheea's yon? It favvers t' post.

FASSEN-PENNY—Money with which a bargain is clenched.

FASSENED—Consummated. T' bargan was nivver fassened, an' he ran off.

FAT—Lads 'll tell ye 'at's laiken at marbles.

FALALDERMENT—Nonsense. Thoo's neea casion ta tell us sec falalderment aboot what thoo can deea.

FANSOME—Nice, handsome.

FANT—Faint.

FADJI—Summat like fusty-lugs, short and' stoot, an shoolen a bit at walken.

FAFFLE—To dodge about without much purpose. Thoo wad rayder faffle aboot deein owt than gang ta thi wark.

FAIRATION—A varra fair word is fairation, it means fair play, er fair wark, er fair trade, an' seea on.

FAIR-DO'S—Fair-do's amang mates, is a good motto.

FAIRY-STANS—Coprolites. An' didn't we used ta be prood ta lait them oot o' t' dike breests an' seck.

FAIRY-RINGS—Whar t' mushrooms grow.

FARDER-NER-NARDER — At a standstill. He nivver seems ta git neea farder-ner-narder.

FAR-SIDE—T' far side an' t' nar side, is t' left an' t' reet i' nag drivin.

FASH—Trouble, bother. Fash is as yan maks 't.

FASHIOUS—Troublesome. It's varra fashious 'deed is't, rainen iv'ry day wi a nivver ceasen.

FASSENS—Lent.

FAST, FASSENED—Bound by Indentures.

FAST—Before. Oor clock's an hoor fast.

FATHERED—Affiliated. A child that has a marked likeness to its parent fadders itsel.

FAULD—Farm-yard. Shut t' fauld yat, an' keep t' cauld wind oot.

FAM'LY-WAY—On t' rooad wi' anudder.

FARE-TA-WEEL—Good day t' auld way.

FANDANGLES—Personal ornaments.

FARDEL—The fourth part of yard-wand.

FANG—To fasten upon with the teeth.

FANGLES—Something new. New-fangled is common for those who readily take up with " some new thing."

FEATHER—A mason's tool for splitting stone. Plug and feather.

FEATHER-BRAINED—Light headed.

FEATHER-EDGE—A shoemaker's term.

FEG-SOWAN, FIG-SUE—Boiled figs—or figs steeped in liquor.

FELL-FO—Field-fare.

FELLOW—Man, and used commonly for that word, e.g., T' auld fellow, young fellow, heed fellow, t' fellow i' t' shop, &c.

FELON; FELON-GERSE; CUT-FOR-'T-FELON; FEL-ON'D; FELON-DRINK—Ass t' coo doctor aboot o' these, it's summat's matter wi' t' kye aboot t' kist.

FAST-OOT—Put oot at board wages to be maintained.

FEWSOME—Comely. She's a gay fewsome liuken lass. Neatly finished. Mak a gay fewsome job on't t' time thoo's at it.

FEATHER-HEELED; FEATHER-LEGGED—Lish, active. A feather-heeled mother maks a greasy-heeled dowter, that is ta say, t' second generation taks t' advantage.

FEY-DOOMED—Possessed with a gloomy foreboding of impending troubles.

FELL-IN—He gat wedded ta a bit ov a lal body 'at he nobbut fell-in wi' at Martinmas, an' gat gaily weel bitten. Fell-in wi' means to make the acquaintance of, or become known to.

FELL—To knock down ; to throw in wrestling.

FELTERED—Entangled.

FEND—In what condition. How are you ? Hoo fend ye Tommy ? Ah's gayly middlen, just gaan aboot as usu'l

FECK—Shift. He's nowder feck ner fend in him.

FECKLESS—Shiftless, useless, without resource. Come oot
o' t' way, thoo lal feckless fiul, thoo.

FEEDIN-STORM—Net yan 'at feeds fooak ato, but yan 'at's
come ta stop a bit and grow itsel, a feedin storm's yan ta
be nooaticed.

FELL—I' Lakeland o' t' moontains is fells, an' ther's a gay
lot ta be gaan on wi', an' some o' them's a gay heet up.

> " Owt can I bide
> But a cauld thow wind
> On a hee fell side."

FELL-HEEDER—Yan at leeves on t' fells; t' decentest
an' t' mannerliest fooak varra neear 'at ye'll find fer a
mial when yer hard throssen.

FELL-TIAD—He'd a skin on him as rough as a fell-tiad.

FELLY—The out section of a cart wheel.

FEND, FENDY—To make a good try. T' kye 'll fend fer
thersells if ther's owt they can git. He's a fendy sooart
ov a fellow at'll git on.

FETCHIN—A fetchin o' yal's when it's brought to t' wark.

FETTLE—Condition. What fettle?—Rippin !

FETTLE—To clean, repair, and put in condition. Ah mun
fettle t' auld gun up.

FEW—Pan to. Hoo does he few at mowin' ?

FENDIN'-AN-PRIUVIN—A kind ov a fratchin', snarlin',
unnebburly mack o' wark ower summat an' nowt. Yan
tells a tial annudder denies, an' they gah tull anudder er
tweea fendin-an-priuvin-'t.

FINDIN'S-KEEPIN' — Findin's keepin', an takkin back's
hangin'. A lad's motto 'at's as common as muck an' as
auld as t' hills.

FIMMLE—Finger in a twitching nervous manner.

FIB—A lie.

FIDGE—To kick the feet up ; to struggle. A swine 'll fidge
when it's gaan ta be butcht ; seea will a barn when it's
bein' weshed

FINGERING, FLEECY—Different maks o' wool fer knitten.

FINE-SARTEN—As sure as law. Ah's ommost fine sarten
on 't.

FIR-APPLES—Cones ; seed.

FIRE-EDGE—Enthusiasm. He'd plenty o' fire edge on.
Appetite. That dumplin's tian t' fire edge off.

FISSLE—Uneasy movements. Can't ta sit whiatly an' nut
fissle aboot ? Is that a moose fisslen' aboot amang t' gerse ?

FIX-FAX—Gristle.

FIASEN—When a lal 'un hes a berry shag gie'n tult, an' it
scowps o' t' preserves off, that's fiasen it. Siam when it
licks it's plate efter dinner.

FIELD, FEEAL, FIELDIN—Hide. Let's laik at fielden. Yon lal tagalt's fielded mi specs, an' nowder hee ner low can Ah find them.

FIUT—Keep up with. Ye gang that fast Ah can hardly fiut ye.

FIUT—Trace. We can fiut a hare on t' snow.

FIUT—To establish ; to introduce. Whia what we'st hev ta fiut ye.

FIUTED—To perform a journey on foot. We fiuted it iv'ry stride.

FIUT-IT—A good dancer or walker. By jen but he can fiut-it.

FUIT-LETH—A quarter of a stone.

FLAAS—Turf for fuel.

FLA-SCAREL—A scarecrow. An untidy body's sometimes co'ed a fla-scarel.

FLAAENS—Boggles, ghosts.

FLACKER—Palpitate. Ah's o' in a flacker wi' runnin'.

FLESH-MEAT—Butcher meat. It's varra lal fiesh-meat yan mun hev noo-a-days.

FLACK, FLACKIN—A thin sod pared for the purpose of covering a turnip or potato heap.

FLACKER—A good flacker is one who can neatly cut a flack or flackin'.

FLAM, FLAATCH, FLAUP, FLAUP-POT, FLAACTHEN —These is o' yah sooart, but different maaks. T' meanin' is grease, whakly talk, er duabment. They're nut i' mich repute i' Lakeland, " Where men are bold and strongly say their say," but it's happen as weel ta put them in, as lal as they're set bi.

FLIGMAGARIES—Bits of showy articles of finery in dress.

FLAY-CROW—A person whose appearance is more striking than usual. A regular flay-crow. An object made up with old rags and stuck in a field to frighten the birds.

FLEEK—A frame of wood filled up with straw or bracken, with which a stone-breaker shields himself from the weather.

FLECK'T—Spotted. It was fleck't wi' froth, he'd droven that hard.

FLEEK—A frame hung from the ceiling on which bread and bacon or clothing are placed to dry.

FLEWAT—A rough blow. It catcht mi seck a flewat ower t' heed.

FLINT-AN'-STEEL—A smiuker's tackle fer gitten a leet afoor they hed matches, e' go yut.

FLIRT—Flirt aboot frae spot ta spot. Unsettled. A giddy body.

FLIT—To remove. A miun-leet flit is a removal by night time to avoid observation.

FLOONCE, FLOONCED—A temper. He was in a floonce. They floonc'd oot i' neea time.

FLUKE—A flat potato.

FLUKER—Large of its kind. That's a fluker ano.

FLUMMAX—Stew. By jen, but thoo's put me in a flummax.

FLAIL-HINGIN—T' workin' part ov a flail.

FLAIL-SOOPLE—T' strikin' end ov a flail.

FLAIT—Frightened. Thoo's mair flait ner hurt.

FLAP—Saddle flap; coat flap; britches flap; shoe flap; flap door. These o' mean summat 'at's lowse an' laps ower.

FLAP—To beat. Flap their wings; a flap under t' lug; they'd a bit ov a flap.

FLAPPEN—A light, giddy manner. Flappen aboot. A tussle; they'd a bit ov a flappen on atween thersels.

FLAUP—An untidy woman. A gurt idle flaup.

FLAUPT—To drop down in an indolent way. She flaupt hersel doon.

FLAUPEN—To go about in an untidy manner. Flaupen aboot frae moornin' ta neet, nivver wesht ner nowt.

FLOWTER—Flutter. By gok, but thoo's put me in a flowter wi' that tial Ah's sewer thoo hes.

FLOTHERY—Gaudy trapping seck as ribbons an' owt 'at doddery flappy tail 't mack at fooak put o' ther backs ta be smart.

FLURCH—A lot; good measure running ower.

FLAY—Skin. It was ommost flayed alive.

FLAY—Freeten. Ah war flayed oot o' mi skin acomen hiam, wi' that gurt barguest of a cuddy.

FLAYSOME—Hideous, pitiful. What's ta makken that flaysome din for? She liuks flaysome.

FLEEMS—Fleems an' t' bleedin' stick. T' nag doctor 'll show ye what these is.

FLEP—Bottom lip. He hings a flep like an auld meear i' barley seed time.

FLIGHT—Chide, scold. Ah gat seck a flighten as Ah's nivver fergit fer takkin a few plums.

FLING, FLANG, FLUNG—To throw as in wrestling. He gat flung wi' a chap hauf his size.

FLONKER—An outsizer. A tale that smells of a lie. That's a flonker an' neea mistak.

FLONKIN—A thrashing. Thoo'll git a flonkin fer rivin' thi shirt.

FLUSTER—Excitement. We're o' in a fluster.

FLUSTERED—Broken out. T' barn heed 's o' flustered oot wi' gurt scabs.

FLUSTERIN—Going about or working in an excited manner.

FLUSTERED—Confused. Ah gat fairly flustered amang seea many fine fooak, an' seea mich meemo an' nackin.

FLUSTRATED—Aboot t' siam as flustered.

FLOWE—Wild; uncongenial; out of temper. It's a cauld flowe wind. T' pastur ligs varra flowe. He went by liuken as fiowe as neea matter.

FLUZZ, FLUZZ'D—When ye're driven a stiak inta t' grund and t' end ye hit wi' a mell gits bruised, we say it's fluzz'd. A rattle under t' lug is co'ed a fluzz sometimes. Ah gat seck a fluzz at t' side o' t' heed wi' his nief.

FLUSH—A game played for nuts.

FLUSH—To drive game out of cover.

FLYEREN—"The loud laugh which betrays the vacant mind." Theer they war, flyeren an' nickerin at iv'ry thing an' iv'ry body.

FLYPE—Brim. Thoo's plenty o' flype on ta keep t' sun off.

FOTHER, FUDDER, FODDER—In the years 1588, 1600, and 1612 respectively, these are given in some old documents belonging to the Parish Church of Morland for fodder.

FOISON—Quality or quantity; good in both.

FOWT—A fight. Says Whitehead:

> But fowts er sometimes t' easiest fowt,
> Befoor they're fowt at a'.

FOORMAL, FOORMAL'D—Bespeak; order. Ah coe'd an' foormal'd a pig oot o' that lot.

FOLLOW—A young fella 'at's just begun ta "follow" a pair o' nags thinks hissel neea treacle jacky, an' he's gaily oft leadin' yan o' them. Anudder's said ta be "followen" somebody's daughter 'at he want's ta keep. I' that sense it means he's gaan wi' her, keeping her company, an' varra clooase company ano', else he might be sucked in, an' loss her. Do ye follow o' this er nut? We deea "follow" at times, durt we noo? Varra whiat than, when we're "followen" fer t' last time.

FOILED—Soiled with dung. They foiled mair ner they eat.

FOISTY—Stale. This flour's gaan foisty.

FOOAK—This is put in acos fooak co' yan anudder fooak yet; your fooak, oor fooak, fadder fooak, an' seea on. Ther're net gitten to be people er persons yet.

FOOMET—Aye fool eniuf if t' stink bi owt ta gang bi. Thoo stinks warse ner a foomet.

FORCE—A waterfall. T' fooarce is gayly full.

FOTR—To take the awns off barley or awny wheat.

FOTRIN-IRON—An implement designed to remove the awns off barley, &c. In shape something like a fork handle, with grate or bars attached.

FOWER ROOD ENDS—Cross roads. Famous places for hanky-panky tricks, seck as charmin' warts away, tellin' luck, buryin' uncanny bodies, an' findin' ther ghosts. Ah darn't fer t' life o' me put in o' t' tials at Ah've hard aboot t' fower rooad ends. They wad flay o' t' lal 'uns an' some t' gurt 'uns oot o' ther wits wheniver they'd ta gah by yan. T' varra guide stoops 'll mak yan's skin fair whidder on a dark neet. An' ther's war things ner a guide stoop.

FORRAD—Fast; in front. A forrad lad er lass is yan 'at's shot ther horns i' good time.

FOND—Foolish; imbecile.

FORENWESS, ENWESS-AWAY—For ever, without end, a great lot. We've hed forenwess o' bodder aboot that will. Ah mak nowt o' fooak at's allus grumlen, an' blacken enwess-away frae dayleet ta dark.

FOOAL-MEEAR—A mare with foal at foot.

FORRAD—Git forrad. To be going on with a task or journey. Ah'll git forrad.

FOR-NOUGHT—Laiken fer fun o' t' thing—neea wins.

FORENOON-DRINKIN'—Ten o'clock; bait; lunch, an' seea on.

FODDER-GANG—Up bi' t' bius heeds, whar they fodder t' kye. It was theer whar yan ov oor Lakeland chaps first larnt ta ride his velocipede. A good spot ano.

FOG—Grass grown after mowing. Ye can tell kye er cauves 'at's eaten fog, bi' ther tails.

FO O' T' LEAF—T' spring o' t' year, an t' fo o' t' leaf. Spring and autumn.

FOOL-MOOTHED—Blackguardly.

FORBYE—In addition. Yan er tweea mair forbye.

FORE-ELDERS—Forefathers.

FORFOUGHTEN, FORFUFFEN—Wearied in a struggle. They war sair forfuffen ta git a trailen on.

FORKED, FOLD-BITTEN, FOLD-BIT—These is o different macks o' marks an' whols intul a sheep lug ta ken it bi. Ass a shipherd fer full pertic'lars.

FOR SURE—Er ye gaan? Aye fer sewer Ah's gaan!

FOTS—Knitted socks fer barn feet.

FOTTYS—Children's feet. Warm it's fottys afooar t' fire.

FOOR-START—A bit o' time, er a bit o' space at's geen in ta mak thinga main equal. Ah'll run thi fer sov'ren, an' gie thi ten yerds foor-start.

FORIVVER—A great deal too much. Thoo's forivver ower auld ta wed a young thing like that'n.

FORE—For good; for keeps. It means like this: When lads is laiken at marvels they laik fer "fore" or fer "nought"; if on fer "fore" they keep what they win, if on fer "nowt" they durt.

FOR-KEEPS—When you keep what you win in a game. It's like feiten fer love if it izzant for keeps.

FOONDER'D—Shattered as a horse feet are by constant work on hard roads, &c. Struck dumb. Ah was dum-foonder'd ta hear ower thi faddur, sista 'at was Ah.

FRAP—A sharp noise. He was blertin' an' frapen' aboot wi' an auld gun.

FRAG-END—What's left; the tag-rag-and-bob-tail. Ther's t' frag-end ov a ham shank on t' shelf. A lot o' t' frag-end hed a row amang thersels.

FRAJ, FRAJD—Frayed. Worn by contact. Ah've frajd o' t' skin off mi heel.

FRATCH—Fo' oot. We varra near fratch't ower 't.

FREET—Grieve. Nivver thee heed honey, du't freet.

FREMD—Strangers with whom there is no intercouse. They war nobbut fremd fooak at they leev'd amang.

FRAE—From. Whar does thoo co frae ? Ah cum frae hiam, whar does ta think ?

FRAE-TULL—From ; off. What's up wi' thi hat flype ? It's cum frae tull.

FRETTED—Perforated. It war fretted throo an' throo wi' t' worms.

FRIGGLEN—Struggling. Sairy thing, it was frigglen aboot an' varra near at last gasp.

FRUMERTY—Stewed wheat.

FRUTTISES—Little cakes baked in a fying pan. They say good stuff's lapped i' lal room, an' it's true o' fruttises.

FRAMATION—A commotion, a hullabaloo. Sec a framation Ah niver dud see.

FROSK—Frog. Kill a frosk an' it'll leeten.

FROG—Fir-trees. Auld mear tails.

FRABBEN—Argyen, feiten, strugglen. Ah's sto'ed o' frabben ower nowt.

FUFF—A sudden gust. A fuff o' wind put t' leet oot.

FUFF'D—Blew. O' t' reek an' siut fuff'd doon an' oot o' t' fire spot inta t' hoose.

FUFFEN—Whirling ; veering. T' wind was fuffen aboot first oot o' yah art an' than oot ov anudder.

FUFFEN—Fighting ; fight. He wad fuffen wi' a feddur.

FULLAKEN—Well grown. He's a rare gurt fullaken chap.

FULLOCK—A rough blow. He catcht him a fullock under t' lug wi' his nief.

FUNNY-BIAN—Elbow point. Ah catcht me funny-bian ower a throo, an' it dimel'd oot at mi finger ends.

FUSSIKER—A incredible story. That's a fussiker.

FUZZ-BO—A dried fungus.

FULL-COCK—Off he went, full-cock. That is, charged ta t' brim, an' ready fer owt.

FULL-SPLIT—Aye fer sewer. In a gurt pash. At it, full-split.

FURMS—Seats fer fooak i' t' kirk or meetin' is co'ed furms.

FURTH—Out on a visit. We'd been furth ta mi aunt's that neet at t' gurt fliud.

FUSTY-LUGS—A lal, short-legged, fat chap. Thoo's a lal fusty-lugs i' that cooat.

FUZZY—Soft. These taties is gaan fuzzy.

FUZZY-GANNY—A hairy catterpillar. Fuzzy-ganny, hairy witch.

FULTERSOME—A cumbrous article of clothing, or gear. A gurt cooat's varra fultersome when yan's ta clim ower dikes and wo's.

FUMMELEN—Groping. Fummelen i' yan's pockets fer a match, an' seea on.

FYLARKINS—A satirical epithet.

GABBIE—Grandfather.

GAKEN—Projecting in a dangerous or awkward manner. Sis'ta he was drunk as a looard, an' he'd tweea gullies as sharp as lances gaken oot of his jacket pocket.

GAKY—Awkwardly placed. Shut them cubbert doors, they liuk see gaky.

GAB—Cheek an' impidence—Let's hev nin o' thi gab.

GABBLE, GABBLEN—Noisy. Give ower gabblen an' makken that noise.

GA, GAH, GAH'D, GANG, GAN, GAN'D, GANGEN, GANNEN—Gah hiam ; varra auld uns is these.

GAILY—Gaily's summat efter t' siam fashion as Gay. An old lady (she was near 90) asked as to her health replied, "whia, what fer mi years, Ah's fresh ; aye, Ah's gaily fresh, an' gangen aboot."

GANNY—Grand-mudder ; an' ther's war things i' this weary world ner a good auld ganny.

GANTRY—What t' yal tub stands on.

GAP—An opening. It maks a gurt gap i' yan's wark.

GAP-RAILS—Wooden bars to close up a gap-steed instead' of a gate.

GAP-STEED—An opening in a fence. Thoo ca't hit t' gap-steed, 'at can ta nut.

GAR—Makes. Thoo gars mi greet honey wi' thi talk aboot lang sen things.

GARBRISH—Foul vegetable matter. Bury that garbrish. Unsound or unripe fruit. Thoo eats ower mich o' that garbrish.

GARD—It'll be t' siam as Garth ; fer instance, ther's Lin-gard.

GARNWINNLE—A revolving frame on which to put a hank of garn to be wound into balls for knitting.

GARTH—Enclosed piece of land of small size, seck as t' kirk garth, cauf garth, chitty garth, &c.

GAUM—Judgment, common sense. He's nowder gaum ner gumption.

GAUMERIL, GAUMERIL-HEED—A silly lout. Thoo gurt gaumeril, what's ta shutten t' cat for ? Gaumeril heed's t' siam, wi' a bit mair foorce in 't.

GAUP—The manner of a rustic—Gaup aboot.

GAUPY—A rustic. A gurt gaupy.

GAY, GEY—Moderate; average. Ah's gay fair; it's gay wet, gay het, gay cauld; it's a gay lang while sen ye co'ed; butter's gay cheap noo; eggs is gay dear. An' seea on.

GARRACK—Lone; empty howe. A gurt garrack gammer-stang—it's a clownish sooart ov a fellow wi a empty noddle.

GARN—Wool for knitting. Garn Willie frae Kendal was one of the institutions thirty or forty years ago, whose pack invariably contained a bit mint cake.

GARAWA—Get away. We tell t' dogs ta garawa by! when we want t' kye fetchin'.

GAIN—Near; it's gain hand.

GARSIL—Underwood cut for pea rods.

GAFFER—Master. T' gaffer an' me's gaan ta t' fair.

GALLAS—Reckless; ill-behaved. A gurt lowse gallas fellow, 'at is he.

GALLASES—Braces ta hod yan's britches up.

GALLAWA—A lal nag. Is ther a lad i' Lakeland 'at doesn't like a gallawa aboot as weel as hissel?

GAM-LEG—T' poor man's goot.

GAM—Plucky. Ah's gam fer owt o' that sooart.

GATELAN—A field wi' a gate—that is, a cart rooad—er a trod throo 't.

GAWKY—Ungainly, awkward manners. A gurt gawky, he wadn't say boo tul a gius.

GAUVISON—A silly fellow. Thoo gurt gauvison, thoo.

GAMMER-STANG—Varra common for a body 'at's a bit gofferemish i' ther ways, but Ah lite it's ta deea wi' gaffer an' gammer o' t' auld days. Thoo gurt silly gammer-stang thoo, liuk whar thoo's gaan.

GAYSHEN—A bit barnish an' soft.

GERSE-NAIL—T' bit o' wire frae a scythe bliad ta t' shaft, to keep 't i' t' spot.

GERAWABACK, GERAWABY—Dog orders ta gah farder oot, an' fetch 'em.

GESLIN—Gosling. Ah've hard fooak talk aboot geslin-green.

GESS—Dog niam.

GEDDERS—Pleats of a dress O' oot at gedders is a bad sign, an' indicates idleness; besides it liuks seea. T' lads 'll deea ta see at ther's neea gedders oot. Ah'll say neea mair.

GEDDEREN—Collecting, of coorse—muck, mushrooms, nuts, taties, apples, an' many a lot o' mair things 'at's pickt up.

GEAR—What's o' this gear? T' lad's mudder ass'd him that, as she was emptyen his pocket, an' aboot a swillful o' stuff—string, marvels, knives, bits o' iron, indy-rubber, pencils,

an' seea on com oot. Annudder 'll say he's oot o' gear
when he's badly; an' a chap's badly geared up when his
gallases breck, er his shirt button comes off, er his dicky
flees lowse.

GELD—Not with calf.

GIFT AGAIN—T' luck penny.

GHYLL—A gurt sowen crack, er whol in a hill side, whar t'
rocks is roven i' tweea, an' splintered aboot, an' bushes
an' trees growen oot o' t' cracks, an' a beck purblen at
boddum, wi' clean watter in't, an' fish. We used ta gang
ta t' ghyll when we war lads, an' gedder nuts, an' git ferns,
an' lait cushat an' hewlet nests, an' persuade oorsells we
war young backwoodsmen.

GIAL—A sudden'd stang through t' nerve of a tiuth wi' cauld
wind gitten in' 't.

GIALD—Wood cracks when it's dried ower fast; *i.e.*, it gials.
Lads put ther burtree guns i' t' watter tub ta swell up t' gials.

GIAPS, GIAPY—Ass a pooltry-man. It was an' auld hen at
hed it, an' funny she liukt. Did ye ivver see a hen yawn ?
That's it ta nowt.

GIAT—Appetite. It gies yan a bit o' giat fer yan's breakfast
ta hev a good walk amang t' plewed land. He hes a giat
wi' him, an' neea mistak aboot 't.

GIAVELOCK—A gurt iron bar ta wharrel wi'.

GIBBY—A stick wi' a hook on 't. We used ta git a gibby ta
gang nutten wi'.

GIBLETS, GIBLET-PIE—Gius pie, miad oot o' t' inside
warks. Try yan aboot Christmas, er enny other time if
ther's a chance.

GILDERT—A bird trap miad o' hair snarls, an' set amang t'
snow.

GILT—Ass a pig jobber fer particulars; o' Ah hev ta say it's
an auld un.

GIMMER—A sheep afooar it's hed lambs. An " auld gim-
mer " is used in terms of disrespect.

GIN, GIN-HOOSE—The circular path of a horse yoked to a
threshing machine, churn, &c. T' gin-hoose is t' shed
ower t' gin.

GIP—It fair maks yan gip. Ah could hev gipped mi heart up
ower 't. It means ta ratch an' heave fer nowt.

GIRD—Gird an' thrust. It means ta put o' t' weight ye can
on, an' deea yer varra miast, an' at siam time gurn a bit.

GIRDLE—A frying pan withoot a ledge, ta biak flat ciak on.
A girdle ciak buttered warm's up ta t' mark.

GIFT-AGAIN—That's t' luck penny at's thrown back at
sattlin'.

GIRSE—Grass. T' young kye are put oot to girse. A
mower or a wrestler gits girsed, an' theer's girse-weedas
'at's single afoor ther time.

GIN—If; in case.

GINNEL—A marrow passage. A crack or opening in a crag or rock. Famish spots fer a fox to bur intul when she's hard throssen wi' t' hoond dogs.

GIT, GAT, GITTEN—Get, got, gotten. These is o' i' full go, an' gitten is oft used for seized or taken, *e.g.*, Ah was nearly gitten that time.

GIAT—Way. Thoo's allus i' somebody's giat.

GIAT—Road, street, thoroughfare. Every Lakeland town has its street named after some distinctive gate, and every village its toon-giat.

GIAT—Pasturage; coo-giat is pasturage for a cow, mostly a common claim; sheep-giat, gius-giat, an' seea on. Also see Whittle-gate.

GIAT—The opening made by a saw. Run a saw-giat doon 't.

GIT-OWER—To get the better of anyone in a bargain. When they git ower thee they've nobbut anudder ta git ower.

GIZZUN, GIZZUN'D—To choke. Dry taties 'll mak ye gizzun. Ah war varra nar gizzun'd wi' lime stoor.

GIRDEN—Girden an' laughen at somebody 'at hez hed nobbut a bit o' baddish luck—say they're tummel'd inta t' sump—is t' sign ov a wake knowledge box.

GISS-NER-STYE—Ye shoot giss when ye want t' swine to come, an' stye when ye want it ta gang, an' them's o' t' remarks a swine wants frae ye; hooivver, when ye say nowt ta neeabody aboot nowt, but keep mum an' whiat, this yan co's in. Ah said nowder giss-ner-stye, but let him deea o' t' camplin hissel.

GISS—What we shoot when we want t' pigs ta come an' be sarra'd, an' ye needn't shoot twice.

GISS-TROFF—Aye, whia, ye know what that is.

GIVES—Yields. It gives a gay bit iv'ry poo.

GIVES-AN'-TAKS—Yan 'at can deea wi' a bit o' nonsense an' plaguein. He gives an' taks.

GLAZNER—A glazier. In the old papers of Morland Parish Church the word is spelt glazner, A.D. 1609. Seea we're nut far oot.

GLEP—Glance.

GLAPE, GLAPEN, GLAP'D—Stare around. He wad glape aboot like yan lost. Ah was glapen roond t' market fer somebody Ah kent. He glap'd up as we war gaan by, but nivver spak. Something of the slower, less affected manner of the country is conveyed in all these.

GLEE—A varra moderate form ov squint. He glees a bit wi' yah e'e.

GLUMPEN—What's thoo glumpen for? Sulking, 'at is 't.

GLISK—Gleamen, glinten, an' what ther's bits o' glisks fer us o' if whiles it's a bit dark.

GLENT—A sudden glimpse. Ah just gat a glent on him.

GLENDEREN—Staring about in a half-dazed condition. Ah war glenderin aboot at dark, an' Ah could see nowt wi' comen oot frae t' leet o' t' lamp, an' Ah ran mi' nooas up again t' yat bar. That's yah mak o' glenderen, an' ther's tweea er three mair sooarts, at Ah'll not put in.

GLIF—Glimpse. T' first glif Ah gat o' them they war gaan like nickt-at-heeds.

GLIME—A sullen sideway look. Thoo may glime.

GLOOAR—A good steady gaze. What's ta glooaran at ?

GLOP, GLOPT, GLOPPEN, GLOPPENED—It miad me glop. Ah just glopt up wi' mi een. That wad mak them gloppen. Noo o' these mean ta oppen yer een an' use them reet handy. Surprised, Ah was gloppened.

GLOPPERS—Blufted specs fer sair een.

GOOD-DAY—Oor way o' sayen good-bye, when we're off ower t' fells an' far away fer many a day an' happen ivver—good-day !

GOWLANS—The stems of burnt whins gathered for fire eldin.

GOB—Noo this is a rough hag'd un, but it's varra useful at times, an' a pooak's nin prood. Ye can talk aboot a pooak gob, er fur that matter any sooart ov a gob, withoot given offence. It's t' mooth ov owt.

GOBBLEN—As ye'll know noo, it's gitten summat intul t' gob middlin handy an' gitten t' oot o' seet mair sharp, an' plenty on 't. That's gobblen; it also means sauce, an' nasty tempered talk.

GOB-STICK—What they sup poddish wi'. A gob-stick's a spiun, bigger an' better, neea matter whedder it's wood er iron.

GOBY, GOVY—A fellow 'at does silly senseless things. He selt that nag fer less than hauf it's worth, an' thowt hissel clever. A gurt goby 'at he is.

GOFFEREN-FRAME—A frame to curl a cap border in. It's a gay bit sen noo 'at I saw yan i' use.

GOOD-STUFF, GOODIES—Sweets, confectionery. Ass t' barns.

GOODISH—This yan's a bit ov a cautious character in 't. It's a goodish bit ta your hoose. Aye, an' what it's a goodish bit sen ye war here. Aye, Ah've hed a goodish bit o' wark just liately. Goodish crop, a goodish price, an' seea on.

GOON—A dress, er rayder a frock fer a woman; an' Ah've hard fooak talk aboot a goonskirt, an' a goon skirt pocket, an' seea on.

GOOSE-SKIN—When ye're starved, er flait, an' yer skin o' wrinkles up i' lal bits o' lumps, that's gius-skin, acos Ah lite when gius is plooated reddy fer t' yubben it's t' siam as neea matter.

GOOSE-STEE—Ye'll see sometimes an auld steg popen aboot
wi' a stick hung tull his neck. That's his stee; it's seea
as he ca't smoot.

GOLLER, YOLLER—Crying out. Thoo's neea need to
goller an' shoot, Ah izzant gaan ta rive thi heed off. But
he was gaan ta poo a assel tiuth wi' a pair o' pliers—t'
chap mud weel goller.

GOWK—Pith; core; the heart of an apple, or of a tree.

GOWK—A clownish fellow. He was a gurt silly gowk ta
gang an' full t' chimla wi' streea, an' than tie t' door
sneck fast. T' miast on us hes bin miad April gowks
afooar noo, seea we know what it is.

GOWL—Cry with pain. It miad me gowl when he poo'd mi
assle tiuth oot.

GOWLEN—Howling; creat a great noise; the chang of the
hounds. Give ower gowlen. Do ye hear t' hoonds
gowlen oot?

GO-BON, GO-SIMS, GOY-BON, GOY, GOX—These is o'
used asteed o' war words, when some mack o' soul relief
is sairly needed i' words.

GOFFISH—Slightly light-headed. He's nobbut a bit goffish.
Innocence is implied.

GOFFRAMITE—A silly fellow and mischievously disposed.
T' gurt silly gofframite, he act'ly driav a harrow tiuth i'
t' grund whar his faddur was mowen, becos he'd hed him
throo hands.

GOOSE-TURD-GREEN—Noo ye o' know what that means,
seea what for than stick yer nooases up at it? Read this
lal bit frae a grand old parson co'ed Harrison, written
when oor gurt good Betty was t' Queen of England, ower
three hundred years an' mair sen. He says: " I might
here name a sort of hues devised for the nonce wherewith
to please fantastical heads, as goose-turd-green, peas
porridge tawny, popingay blue, lusty gallant, the devil-in-
the-head (I should say hedge), and such like." That's
oot ov as canny a lal biuk as ivver was printed, er Ah
wadn't ha put it in. Ye can snifter 'at wants.

GOWPIN—The two hands held together and used as a
measure. A gowpin full o' good stuff; put a gowpinful o'
bran in; an' seea on.

GRIPPER—Yan at taks hauld o' owt at t' brass line an' sticks
tul't.

GRAIN—Bait ov a lump o' wood. Across t' grain is when
it's summat 'at does'nt chime in wi fooak's temper.

GRADELY—Decent; menseful; fair. A gradely job.

GRANKLY, GRANKEN—Complainen, ailen. Hoo's t' mis-
tress? Is she up afiut yet? Aye she's howken aboot,
but she's a bit grankly.

GREASE-IN—To make up a quarrel with a bit of whakly talk ; to gain favours by using an oily deceptive tongue.

GRAVEL-RESH—Bicycle riders 'll tell ye aboot this yan; its when ye come doon an' full t' skin o' ye wi' muck an' seck.

GREY-HEN—T' bottle 'at a mower carries his looance in.

GRIAP—Ta catch fish wi' kittlin' them wi' yer fingers.

GRIAP-HAULD—A good firm grip.

GRIAVE—Dig. We'll griave t' garden ower.

GRIME, GRIMY—Siut; smears. Thoo's o' grime. T' kettle co'en t' pan grimy.

GRIMIN—A slight covering. Ther's bin a grimin o' snow i' t' neet.

GRIPE—A large stable fork with four or five grains.

GRIPED—Seized with pain. Ah's that griped Ah cart bide neea whar.

GRIPES—Barn belly wark.

GRIUN—A spot whar a swine wears t' ring ; fair on t' end o' t' snoot.

GRIZZLED—Ah'll tell thi what, thoo's gaan grizzled i' good time. Grey headed an' grey whiskered was all the remark implied.

GROBBLE—Grope or probe. He war grobblen i' mi gob wi' his tankliments tell he brak't, and he grobble, grobble, grobble tell he'd ta fetch a pair o' pinchers tull 't, t' auld beggar. (An actual experience with the tooth puller.)

GROOAS—When a lad's voice is brokken, er yan gits cauld i' yan's wind-pipe, yan's voice is grooas. Rum an' honey for 't.

GRUNTEN—Grumbling. Some fooak's niver reet if they're net grunten.

GREEN-SIDE-UP—Land that is not ploughed but growing grass.

GREEN-CHRISTMAS—Oppen an' neea snow. Said commonly that a green christmas maks a fat kirk-yard.

GRAINS—Boughs. T' grains reach ower t' rooad.

GRAMMUCK—T' watter's as thick as grammuck, that is, puddle.

GRIP—A gutter, furrow, channel.

GRIUBY—Beardy ; mucky. Thoo liuks varra griuby.

GRUB—Food. Ah's off mi grub.

GRUND-WARK—A beef stiak or bowl o' poddish is a good grund-wark fer a mial, but a gurt stian at boddum of a wo's t' grundwark ment mainly.

GRAFT—A spiad-graft deep. The depth of the spade.

GRAITH—Condition. Ah's i' fair graith noo, 'at is Ah.

GRAITHE—Prepare, or put in condition. We'll graithe t' scythes up if it rains.

GRAND-SIRE—In the hamlet in which the writer was reared a small field is known as " Gransir Garth." Obviously this is grandsire in an abbreviated for, and viewed in the light of the use now found for the fine old term " sire " it is interesting as a survival of what at one time was current.

GRATER—Wear away on a rough surface. But fooak say " it'll grater mi inside oot, will yon auld draten fiddle," meanen t' soond will.

GREASEHORN—A flaup pot. Net varra mich account. Yan 'at gits bits o' favours wi' tellin bits of lees an' tials aboot udders. A greasehorn's aboot as nasty as owt yan o' that soort can be co'ed efter.

GREASY-LEGG'D—Ass t' vet. This izzant a doctor biuk.

GREASY-HEELED—Easy and fat. Nags hev 't wi' diun nowt.

GREET—Cry, whinge. Niver mind, du't greet neea mair ower 't.

GRYKE—A crevice in a floor. That shilling's rowled intul a gryke thoo may depend on't.

GULDER—Ta gobble an' shoot i' talken.

GUIDE-STOOP—A post set up at cross roads with direction arms, purporting to guide the traveller on his way, but really for lads to practice the art of stone throwing on when herding. Ah speak from experience. It's a remarkable illustration of public ignorance, that ever and again shows itself in the complaints of persons unable to read the names on the guide stoops at cross roads; that is not their purpose, as any lad of eight can testify.

GUIVERSOME—With avidity. Du't eat seea guiversome.

GULLY—An open cutting or watercourse. Ther's a lal bit gully 'at we jamp ower.

GUTS—Inside works. Ah've gitten t' clock guts oot, but git them back Ah can't fer mi life.

GUFFO—Peals o' laughin'. He fetcht yah gurt guffo efter anudder, an' t' tears rowled doon his fiace wi' fun.

GULLED—Deceived. Ah was gulled wi' yon auld nag.

GULLY—A gurt whidderen knife, seck as t' butchers use to stick sheep wi', er they carve wi' at a sial, an' seck like.

GULLY-BAG—A leather pouch. What t' butcher carries his gullies in.

GUMPTION—Sense of fitness; varra near t' siam as gaum.

GURN—Gurn, an' bide 't. It's good philosophy when ye ca't run away frae 't. Ah yance saw a fella gurnen throo a barfun fer a pun o' bacca, an' he gat it.

GURT—In love. Gurt wi' t' sarvant lass, eh? Pregnant. Gurt wi' barn.

GURT-END—Gurt end, biggest part, main end, means the major portion, an' that wad mean the biggest hauf, seea noo than what's plainer?

GUT—Fiddle strings an' fishin' tomes. Nacken fooak durt like ta say cat-gut, seea t' woman ass'd fer "a penn'oth o pussy bowels."

GUTTER—A water course. Mind whar ye lowp, an' durt fo' i' t' gutter.

GUTTERAN—Repairing the roads or dike drains. He's gutteran an' menden t' rooads, an' seck like wark.

GYE—Crooked. Thi necktie's o' gye.

GYE-MOOTH—Gye-mooth, an' gye-neck, an' gye-nooas, they're ther awn explainers—they'll git nin frae me.

HACKEN AN' COUGHEN—A bad do at t' neet time when ye've a cauld.

HAUVES AN' HAILES—Halves and wholes. And this reminds me of the old Lakelander whose money was all threepences and three-ho'pences (pints and gills), and to give a penny away spoiled a set.

HACK—A pick axe.

HACK-UP—To tear up with a pick axe.

HACKT—Chipt, crackt. Mi hands is o' hackt wi' t' frost wind.

HAGSTOCK—A block to chop wood on.

HAILE or HAYLE—The handle of a plough.

HARDHEEDS—A flower resembling that of a thistle.

HARDLINS—Scarcely.

HACK-AN'-HEW—A bit o' craft wi' a scythe, rivin 't up bi t' riuts.

HACK-AN'-HASSLE—T' siam wi' a razor. Is ta shaven, er thoo's skinnen mi ? That's hack an' hassle.

HACK-DYKES—Ta mow aback o' t' dykes, whar t' machine cart git tul. Lads mainly git t' job o' hackin dykes, an' doesn't it mak men o' them when they stan up ta whet ?

HACKER—Stutter.

HALE—Whole; healthy; sound. It's a riut grown 'un is this. Hoo's thi faddur ? Hale an' hearty.

HALLAN—A partition ; a place walled off.

HANTEL—Supply ; quantity. Tak a hantel o' hay wi' tha fer t' hoggs.

HAPSHA-RAPSHA—How-scrow ; ham-sam ; hap-hazard.

HAVEY-SCAVEY—All in a mess. Throw them in havey-scavey.

HARRIDGE, or ARRIDGE—A fine edge, or line. A plewer, if he's a good 'un, 'll set it up with a good arridge. A knife will tak' a good arridge. When ye've a good stomach, an' can fell a good big basin o' poddish, it's becos ye've a good arridge. The pronunciation varies, and sometimes has the aspirate more clearly marked.

HAULD—Whar t' fishes field under t' breeas an' stians. A back hauld's summat ta set yer back again ta thrust.

An' when ye git a eel to deal wi' ye'll want a gay good hand-hauld on't, er else it'll be off. In wrestling it's time ta start when they've " hauld."

HAG-AN'-TRAIL—Cut an' carry. It means 'at a man mun deea o' 'at ivver he can fer hissel ; he mun hag-an'-trail his awn.

HALLAK, HALLAKEN—To hallak about and hallaken about are two more terms of disgust at habits of idleness, or for men who do not honourably gain their living in independence and industry. It's a pity that in our refinement we should have had to part with so many useful words, and to have encouraged bad habits by giving them an acceptable designation.

HAND-FASSENED—A bargain that is sealed only by striking hands over it—no payment or signature. He'd nobbut hand-fassen'd 't, t' fiul 'at he was, an' t' chap ran off.

HAND-OWER-HAND—As yan poos a car riap ; also used as a term for wastefulness.

HAND-OWER-HEED—As yan dives inta debt.

HAND-STAFF—T' snod-end of a flail's co'ed t' hand-staff.

HANK—Noo ye wrusslers, wi' yer chips, this is yan, izzant it ?

HANK, HANKLE, HANKLED—Engtangled. Wuns barns! We're gaan on Ah'll tell ye wi' gurt words, an' ye'll want some if yer fishing tome gits hankled in a tree. An' young fellows 'at's gaan away frae hiam (an some 'at stop at hiam) they git hankled on wi' bad company 'at's t' ruination o' them. An' a hank o' wusset 'll o' gang intul a hankle when ye're windin' it.

HARD—Sour. This yal's as hard as a whinstun.

HARD-ON—Close to. It'll be hard on ta Christmas afooar we can come ta see ye.

HARD-WORD—Abuse. He gat t' hard word frae t' maister.

HARD-WATER—Spring watter 'at jikes when ye wesh in 't.

HARD-HEEDS—Sowen gurt apples, an' as hard as granite.

HASTER—A haster's different frae a hadder. When it's comen doon a regular haster ye know what ta deea.

HASTERED—With the skin roughened by contact with the weather, or disease. Yon nag's o' hastered.

HASTY-PUDDIN—Thick poddish an' treacle. It'll stick ta yer ribs.

HANGLIT—Hanglit on 't, asteed o' war words when fooak loss ther temper.

HALLOW-ROOD—Holy cross, *e.g.*, Hallow-rood, Hallow-rood-Fair, Hallow-mas-Day.

HACKLE—Fit; gear; tidy. Hackle thi'sel up a bit. Thoo's poorly hackled fer this weather. Hackle t' barn fer t' skiul.

HAG—To chop with an axe. Hag it doon.

HAG-CLOG—A clog o' wood ta hag on.

HAG-MA-NA—A new year's gift. Ah've come ta lait mi hag-ma-na.

HAGS—Whar t' wood's been stubbed.

HAG-WORMS—Reptiles. As crazy as a hag worm.

HAKE—A merry do amang a lot o' old women at t' heed o' some gurt event. An auld song says:

> We drank five cups o' tea apiece,
> Eat hauf a pund o' cake;
> An' then we hed a jig er tweea,
> Ta finish off the hake.

HAM-SAM—Indiscriminately. Hem! That's nacken, an' plenty on't fer yance. Ham-sam's when ye throw yer things by all in a fluster an' hurry.

HANNIEL—A ho-buck an' a hanniel. They mean a fellow 'at'll jump ower a haystack ta git inta some mack o' mischief.

HARD—Fierce, strong, when applied to the wind. Joe Steel says:

> When t' wind blows hard frae Stowgill eyast,
> Ye may foad yer sheep an' hoose yer beyast.

HARD-AGAIN—Close to. It's hard again t' fell sides.

HARD-HODDEN—This is yan 'at co's in when we're sair fashed aboot many things. Ah was hard hodden ta keep mi tongue atween mi teeth an' keep frae tellen mi mind streck oot.

HAUF-THICK—A thick heed's yan 'at's nut o' theer. T' woman at t' shop was tryen ta sell a chap a hat, but cudn't suit him, an' she kept on tellen him "It's not such large heed, but it is such a thick heed." Well, a hauf-thick's yan 'at's nobbut hauf as silly as a thick-heed.

HAVER—A haver an' a hodder's gay neear alike.

HAKE—Trail aboot. Ye wad hake yan aboot wi' ye as lang as ivver yan could trail.

HAKEN—Dragging about. Ah's fair doon sto'ed wi' haken aboot efter yon ducks an' things, they're seck a boddur a to mi.

HAND-RUNNIN—Yan efter anudder, streck forard like.

HANKLATH—A pocket handkerchief.

HANKLOOT—A tooel. T' hankloot aback o' t' door.

HANSEL—A first sale, a beginning. What, ye wad o' ken Potter Jammy, an' Jinny t' wife. Whia, Ah've hard Jinny say 't mair ner yance, " Noo than, will ye give us a hansel, ta-day? Deea noo!"

HAP—Cover. Hap yersel weel up fer it's cauld eniuf ta starve a giavlock.

HAPPIN—Bed clothing. Hev ye plenty o' happin on?

HAPPEN—Perhaps. Happen ye'll len me sixpence ?

HATHER, HEATHERAN, HADDER, HADDEREN—A heavy mist, as near rain as neea matter. Do ye think it'll rain to-day ? Nay, it'll rain nin, nut it marry; it may hadder a bit. T' party 'at assd knew neea mair ner a fiul what hadder meant, an' they set off withoot top cooats, an' come back wet throo, an' gaan on aboot this hadder, an' yan o' them says, " Ye may nut hev ' hed her ' but you've ' hed huz.' ". Fooak at sweets a lot 'll say, ' Ah's o' in a hather." An' mony a yan 'at's bin oot 'll come in an' say, " It's nivver geen ower hadderan sen Ah went oot."

HAVER—Oats. That field o' haver liuks weel.

HAVERBREAD—Bread made from haver meal. It is of various names : thick, thin, riddle, clap, girdle, squares, snaps, or treacle parkin, according to its preparation, which is various.

HAVER-GRUST—Oatmeal e' t' rough state.

HAVERMEAL—Oatmeal. Havermeal poddish fer yan's supper.

HAVERMEAL-POOAK—A wallet that a beggar carries wi' him to put his meal in when he gits eny gien.

HAVERSACK—A cleanish pooak wi' t' havermeal in 't. Tak a haversack wi' ye.

HANG-DOG—He liuks a reg'lar hang-dog liuk, he's neea good.

HAWKY—Hod. What t' wo'ers hes ta tek lime an' stians up wi' ; an' t' man 'at sarras t' wo'ers.

HARDIN—Rough material used for coarse aprons. A hardin brat.

HARRIED—Tired; more than sufficient. Ah's fairly harried. Ye've harried mi' wi' meat.

HARRY—When t' poddish hes been sarra'd oot, an' ther's some left, that's Harry.

HATTY-CAP—A lads' gam.

HASK—Rough, dry, kizened. It maks yan's hands hask to howk amang lime. Mi skin's as hask as owt. Well watter's ower hask to wesh in.

HAUVED—A sheep mark. Hauf a lug off.

HAY-BAY—A great commotion. He kickt up a gurt hay-bay aboot his money.

HAFFLE—To waver ; to speak unintelligibly.

HANSEL-MONDAY—The first Monday in the new year, when it is customary to make children and servants a present.

HAUNCH—To throw.

HANG-GALLOWS—A sheepish, slenkin appearance. He'd his heed doon atween his legs, an' liukt a reg'lar hang-gallows liuk.

HARKS-'TA—Hear tha.   Harks-ta at that noo, is that thunner ?

HACKEN—A term of disgust. T' gurt brossen hacken wad eat tell he dud hissel a mischief.

HEART-SLUFT—Sickened ; sorrowful; cast-down. Ah was heart-sluft when Ah fand oot Ah'd ten mile ta walk ower t' fell, an' dark ano. She was heart-sluft when her mudder deed. They war heart-sluft when it rained day by day, an' seea mich hay doon.

HEED-RIGGS—The unploughed margins, or the margins that are ploughed in a contrary direction owing to turning, er t' heed riggs.

HER, SHE—Let her alian, noo she's fit ta len oot, she's a gay whent 'un is ——. Ah won't say wheea, but it's a genuine Lakeland spak. A Highlander or a Welshman (vide "Valentine Vox") we expect to hear use the feminine pronoun, but the above had reference to a man considerably advanced in years, and the practice among us of so alluding to men as " her " or " she " is further accentuated by another remark : " She's a gay laddy fer suppin' her yal, is Auld Jooan."

HERON-SEW—A jammy-lang-neck. He shot oot a neck as lang as a heron-sew.

HET-FIUT—In a great haste, or, in a moment of excitement. Off Ah set, het-fiut, theear an' than, at top o' mi majesty, ta hev 't oot wi' him.

HET-WHITTLE—O' t' lads 'at ivver Ah kent knows what a het-whittle is. It's ta booar a burtree gun, er owt else, oot wi', an' ye mak 't het. An auld tally iron heater maks a grand 'un, but fairation, du't gang an' breck t' tally iron becos Ah've telt ye.

HEAF, HEAF-GAAN—The pasture of a mountain sheep ; ther native spot, an' when they're selt wi' t' farm they're heaf-gaan.

HEAFED—As t' heaf of a sheep is that particular part on which it has to secure its food, and to which it becomes attached, so a new sheep has to get heafed, and the word has an extended application to persons who are moving. They'll like when they get heafed. Some niver deea heaf doon at a new spot, an' some er siun heafed—they can heaf anywhar, varra near.

HECTOR—Wheea he was, an' whar he co frae, an' what he was aboot Ah've neea mair idea ner t' deed, but as soor as Hector's a varra common sayen.

HEEDAMANECKUM—This sud be "heed 'im " er " neck 'im," neea doot—that is, " bi a heed," er " bi a neck," but it's used as Ah've set it doon. He shot oot, si tha, t' better leg first an' off he went, lick fer smack, heedama-neckum. That's yan 'at's gaan ta win a rias. Anudder

'll say siam as a chap was tellen mi yance, he was gaan
ta t' station ta gang bi t' train ta Pe'rith, an' ta git a bit
bainer he cot ower a dyke on t' line, an' i' runnen doon t'
batter he gat his fiut fast i' yan o' t' wires. they set ta
catch pooachers, an' poo t' signals wi', and seck. He was
gangen at a gay good bat ta begin wi, an' ower he went,
heed ower heels, an' landed i' t' gutter, heedamaneckum,
an' neea bark left on his snoot, an' his dicky spoilt, an'
sair as a kyle.

HEEMER—Higher. A bit heemer up ner that.

HEEMEST—It's t' heemest o' t' lot.

HEART-BLOOD—Theer gahs a drop o' heart bliud, they
say, when yan sighs, and Herbert refers to this belief
when he says :

> " The sigh then only is,
> A gale to bring me sooner to my bliss."

HEATER—It's an iron ta heat t' iron, ta iron wi', is t' heater,
seea noo than ye hev 't, an' o' aboot it.

HEAT-DROPS—Gurt wallopin drops 'at come oot o' t' sky
when it's varra het an' nut many cloods aboot.

HEAT-SPOTS, HEAT-LUMPS, HEAT-RASH—O' these
mean yah thing; it's t' bliud at gits oot o' fettle when it's
seea het.

HECK—The place where hay and straw is put up for cattle to
eat from. It is formed of bars, or rails.

HECK—A passage within a building. Famish spots fer
boggles is t' hecks.

HEE-BUR, HEE-BER—Rising ground on the side of the
Lyvennet.

HEE-FLOWN—A body's 'at's gurt ideas. Yan 'at's a bit ov
a temper, teea.

HEE-MOOR—Likely frae t' time afooar t' common went up.

HEE-GARY—It means a hee temper. A chap when he's hed
a bit ov a tiff wi' his best lass, an' sets off an' 'lists, does
it in a hee-gary. Many a yan leeves ta be sooary fer
deein' things in a hee-gary.

HEFT—Handle of a knife.

HEG—See egg.

HEFTIN—A putting up. Ah gat a heftin wi tryin' ta carry
that pig on mi rig.

HEG-BATTLE—Yan 'at breeds mischief. Ther's nearly
allus a heg-battle amang a lot. He tells yan a bit ov a
tial aboot what anudder's been sayen er diun : than he
gahs back an' puts a bit tult. T' next thing he says 'at
seea an' seea 'll feit, an' he gits them tagidder. Noo
than, says he, t' better cock spit ower my thum, an' he
sticks his thum oot, an' likely biath 'll spit, than yan o'
them gies tudder his coo bat, er tig, an' a duel i' miniature
is t' result.

HEG-BERRY, HECK-BERRY—Dog-cherry. We used ta lait them i' t' dikes.

HELM-WIND—Aboot t' Brough Hill time o' t' year ther's mair fooak knows aboot it ner cares. It's when t' wind comes off t' fells in a bad temper, an' fit ta skin a tiad. It's grand when it's blowin' stacks ower, riven trees up, an' clashen t' hens an' t' turkeys aboot like flees. Noo them 'at's nivver seen a helm-wind at its warst du't know iv'rything ther is i' seck a simple thing as t' wind.

HERD—Herden t' kye i' t' looanens. It's a dowly job fer yan, but some lads Ah kent lang sen used ta mak some fun fer thersels wi' hevin riases. Yan riad on an auld black cowey, an' tudder on a cuddy, an' ta this day they'll talk aboot it, an' laugh tell ther sides wark, an' ta liuk at them ye wad think they war biath ower mome an sooaber fer owt but a funeral.

HERDWICKS—A lish mak o' lal sheep 'at gahs on t' fells.

HESP—A door sneck; yan at gah's ower a stiaple.

HESPIN—A vigorous determined effort. He was hespin intul 't wi' a rattle.

HEFTED—Established. He gat hissel fairly weel hefted in, an' nin o' them cud touch him.

HELPLY—An' this is a good auld hes been, fer a helply mak ov a body's yan 'at'll deea a good turn when we're sair in need on't.

HEN-PEN, HEN-BANE—It's bane o' owt else besides hens, an' Ah never saw yan written, did ye?

HECK—BOARD—A loose board at the back of a cart.

HEUCK—Hook; a crook; a sickle.

HEAVY-TAILED—This refers to the magnitude of wealth a prospective bride may possess. In some cases they are brokkun backt' 't; an' in some they're leet i' t' heed.

HEMP—A rough hardy fellow, wi' nut ower mich manners. Thoo's a gurt rough hemp.

HETHER-FACED—A bit stubbly.

HEEZE-UP—Lift up.

HEV—Have.

HED—Had.

HEED—What Ah've kent ye bi heed this many a year. It means ta know wheea ye er, what ye deea, an' whar ye co' frae withoot hev'in a speaken acquaintance. Yah auld chap was nooated becos iv'rybody he met he kent bi heed.

HEED-WARK—Red campion.

HIAMS—These is things 'at nags is yoked tull, but what they er caps me ta tell ye. Some fooak co' them homes, some hames, but we stick tult auld 'uns—hiams.

HIDE-BUND—A complaint amang t' kye 'at's crippled.

HIGH-LOW—A card gam. High-low, Jack an' t' gam.

HIGH-LOWS—A mack o' shoon 'at come ower t' ancle

HIGHT—A chap 'at's seea greazy 'at he'll put ye in his pocket yah day, an' t' next snap yer heed off. Ther's an auld sayin' aboot this but space an' seck hinders me frae putten 't in. Ye'll o' happen think on 't noo. Ah wonder what auld Parson Harrison wad think aboot us an' oor memo ways aboot t' words 'at he used.

HIRPLE, HURKLE—Ah've put these tweea tagidder fer they're a draft, Ah think. They mean ta limp. Ah can hardly hirple fer corns. Ta sidle up to. He wad hurkle up tull her if he hed t' least lal bit ov a chance.

HITCH—To hop on one foot. Hoo far can thoo hitch ?

HITCHI-POT, HITCHI-BED—A gam 'at lasses laik at wi' bits o' pot, an' they hitch it aboot o' yah fiut.

HITTY-MISSY—A ning-nang sooart ov a chap 'at's easy put off, an' izzant varra particular aboot keepen his word, er diun as he says he will. Also something of which there is much doubt, as, for instance, the continuance of fine weather, the success of some undertaking depending on many circumstances. He's nobbut a hitty-missy customer, izzant yon ; ye mun watch him. Oor picnic's a Setterda, an' it's hitty-missy fer a fine day for 't, t' way t' glass is gaan doon.

HIUK, HIUKS—A coo wi' a hiuk doon liuks aboot as funny as a chap wi' yah lug. What a hiuk is ye mun ass t' coo doctor. Ah nivver saw inside o' yan.

HIAM-SPUN—A rough article of any sort is said to be a hiam-spun 'un. A person of homely and unaffected ways is hiam-spun, and drink that is brewed at home is hiam-spun.

HIDEN—A thrashing. Ah gat a hidin for 't.

HIE—Hurry. Hie thi ways hiam honey ta thi mudder.

HINDERENDS—Kaff an' seck 'at comes oot through t' deetin machine.

HIP-HAWS—Hawthorn berries.

HISK—To draw the breath through the closed teeth, making a hissing noise. A sign of alarm or fear. Thoo fair maks yan hisk wi' thi tials aboot goasts.

HIULET—An owl. Commonly known amang lads as a jinney-hiulet.

HIUZ—A nasty, plagy cough, frae a ticklin' throoat. That coo hez a nasty hiuz wi' 't; it's a bit o' turnip i' t' throoat.

HIUZENS—Husks. Broon leemers 'll shell oot o' ther hiuzens.

HITHER AND YON—Here and there.

HICK-HAW—A cuddy love-song.

HIND—A farm manager who lives on the farm, and carries it on as a farmer would.

HINGKAPONK—An imposter, or deceiver. Thoo's an auld leein hingkaponk, an' Ah wadn't believe thi as far as Ah cud throw a bull bi t' tail.

HIT-ON, HAT-ON—Agree. They niver cud hit-on. Meet. We hat-on at public hoose.

HIDDLEINGS—On t' sly. T' lasses mead a gurdle ceak ta-day on t' hiddleings when t' mistris was et market. Just like a lass trick !

HIG—A bit o' hee-flown temper Ah went off i' a hig.

HIGHTY-TIGHTY—A skip jack mak ov a body, wi' mair wind ner woo'.

HING—A male salmon or trout.

HIPPIN—A baby's under-wraps. It's fer ther bits o' hips, siam as leggins is fer t' legs.

HINK, STRIDE, AN' LOWP—Athletic exercise. Hop, step, and jump.

HICKLEDY-PICKLEDY — He threw them in hickledy-pickledy, gurt an' lal, soond er unsoond. It means mixed up, without order or arrangement.

HOTCHEY-CAP, HATTY-CAP—A lad's gam wi' a bo' an' ther hats, o' set in a row ta throw intul.

HODDER—A sticker. Yan 'at never leaves lowse o' owt, he's a hodder.

HOD-IN—A plewer's instructions tull his nags.

HOD-OFF—T' siam again.

HOD-HARD—" Hod hard, Thomas, mi fiut's gitten hankled i' t' car riap "—t' fact was he was trailen ahint t' car 'at Thomas was driven fer o' he was worth, an' t' lad wanted him ta stop but dudn't like ta say seea. It's a good thing i' life ta know when ta hod-hard a bit an' liuk aroond whar t' next step'll leet.

HOD-ON—When t' car gahs on wi' a liad o' hay on an' yan's atop on't, hod on.

HOGG—A sheep ; a swine ; an idle mucky body.

HOG-WHOLS—Smoots i' t' wo's fer sheep ta gang throo, oot o' yah field ta anudder.

HONK—Ah's nearly sham'd o' putten these mack doon, but they're theer an' Ah mun deea 't. Thoo gurt idle honk, thoo ; thoo'll honk aboot anyway afoor thoo'll buckle ta some wark.

HOOD, HOODEN—What they hap stook heeds up wi'.

HOPPET, HOPPER—What a sower carries his seed in when he goes forth to sow.

HOPPLE—To tie a nag's legs tagidder, seea as it ca't gah far away.

HOW—Hoe.

HOW-SCROW—In confusion. Mair nacken. We're o' how-scrow at oor hoose, wi' weshin an' seck like bodderment. Ye cart git yer nooase intul t' whol hardly—that's how-scrow.

HOWKS—A gristly substance that grows over the eyes of a pig. Oor pig's gitten t' howks.

HOWKS—A disease amongst cattle and swine, followed in the former case by sudden death unless the animal is bled.

HOWKS—When one person takes in another in trading, or gets something out of another by unfair means.

HOBBLY—Rough, uneven.

HOLY-STONES—Stones with a natural hole through them, hung up in stables as a charm against disease.

HORNEY—The tip of a cow's horn made into a top.

HORSE-SHOES—The game of quoits.

HOODWINK—In hiding. They've a few cotters i' hoodwink.

HOTTER—A body's sair hodden when they can hardly hotter an' walk.

HOWDER—Havoc. T' frost's played howder wi' berry trees.

HO-BUCK—A gurt lammasen lad 'at 'll jump ower a hoose, an' can't sit whiatly fer his life, an' 'll gang ower dikes an' wo's an' gutters fer a breck—we co him a ho-buck. Yan 'at izzant ower mannerly, an' does things 'at he owt ta be ashamed on—he's a ho-buck.

HOGGUS—T' oot-buildens away frae t' farm-hoose, whar t' young beeas is kept, an' t' sheep sarra'd i' winter. Famish spots fer gitten flayed in is t' hogguses.

HOLME—A low level tract of land by a river or stream, *e.g.*, Eden Holme.

HOBSON'S CHOICE—That er nin.

HOCKER, HOCKEREN—A chap 'at izzant ower lish 'll hocker ower a wo er on ta a nag back as weel as he can. An' sometimes if ye ass a nebbur hoo he's gaan on he'll say, " Ah's hockeren on as weel as Ah can," an' ye know at yanse 'at that izzant as weel as he could like.

HOD-DEEA—Yan 'at's a hindrance. Sista come oot o' t' way, thoo's nowt but a hod-deea.

HOD-DEEA—Noo a hod-deea's summat 'at yan does fer t' love o' t' thing, siam as Ah's stringin' o' this riapment tagidder aboot oor auld talk. A chap 'll garden fer a hod-deea, er he'll keep hens, er fish, er fiddle. Owt i' t' natur ov a hobby 'at's diun at odd times fer a change. Many a man's a gay bit better fer hevvin a good hod-deea.

HODFAST—An iron hook for holding a rain water spoot up.

HOFFS—Hips. Ah's as sair as sair aboot t' hoffs wi' mowin.

HONESTY—It grows i' t' garden—sometimes.

HOOK-IT—Get off sharp. Thoo mun hook it as hard as thoo can. He's hook't-it—run away from his place.

HOOK'T-IT—Gone off. He's gian an' hook't it wi' my watch on him.

HOOASE-FOOAK—Dudn't Ah tell ye 'at fooak's fooak yut wi' huz? Whia an' t' hoose fooak's them at stops at hiam an' du't gah oot ta work i' t' fields.

HO'-PLAISTER—Plaster of Paris. Is them ornyments marble? Nay, they're ho-plaister.

HOTCHT-UP—Get together more closely. That's varra nice, an' soonds grand, but ta hotch-up er git hotcht-up is a different thing. A chap 'll hotch-up ta mak room on a seat withoot gitten up. Fooak 'll hotch-up ta yan annudder acos they like to be clooas aside o' them; an' sometimes they're hotcht-up becos they mun be, whedder they want er nut.

HOW-WAY—Coo language—Hoy! how-way. Dog language—How-way by! Barn language—How-way hiam as hard as thoo can leddur.

HOOSE-AN'-HARBOUR — Shelterless; deserted. They'll eat ye oot o' hoose an' harbour.

HORN—Impudence. Thoo's ower mich horn fer me.

HORSIN-STIAN, HORSIN-STEPS—T' steps whar t' riders "horse," or mount. Mainly again t' stiable door.

HOW—Hollow; empty. Ah've hed neea breakfast, an' Ah's as how as Ah can be for 't. Thoo liuks varra how.

HOW-BACKT—A nag wi' a hollow spot i' t' back. Ah saw yan yance, an' t' cart saddle went intul t' how spot.

HOW-SEEDS—They beat t' fire wi' them when they're biaken havver-breed. They're t' huizens off wots 'at's gaan to be grun.

HOWK—Howk thisel off hiam. It means ta hook it, er git off reet sharp.

HOP-SCOTCH—Hitchipot.

HOIDER—Summat varra rough an' hard i' t' talken line. Ah threw t' cart ower at t' gap steed an' t' maister play'd hoider ower 't.

HOWKEN—Howken aboot fer owt he can git. It's yan 'at's allus glooaren aboot him fer a good bargen, an' owt else.

HOWK—"Howks, grubs, an' worms frae under t' under breeas," says Whiteheed; it means ta grobble for them, an' howk them oot.

HOWK—To turn things over when searching.

> "Like otter dogs they hunt oor beaynes,
> Rive up the cairns, howk through the reaynes,
> Where e'er they find a heap o' steaynes,
> Like swines they're reuten in."
>
> *Anthony Whitehead.*

HOWK—To scoop out; howk a whol; howk t' inside oot.

HOB—T' guardian imp o' t' fireside, hob, hood, or t' rannel baulk. It is recorded of one of these who made himself so familiar that the family decided to remove out of his way, and one of the family on the eve of the removal met with him in the byre and asked what he was up to there, got for a reply, " Oh, nowt ; nobbut greasen mi shoon ; we're gaan ta skift ta-morn." Hob was gaan ano, seea they stopped on.

HONEY—A term of endearment for a child. Come in, honey, an' gang ta bed ; an' if thoo doesn't deea as thoo's telt, Ah'll clash thi lugs fer thi.

HONEY-FO—A bit o' good luck i' t' legacy line. An' it maks things gah as snod as t' sugared dew 'at maks t' looanens seea sweet.

HONEY-FO—Ah's neea botanist, naturalist, herbalist, ner nowt o' that mack, but fer o' that on a fine day i' July, when t' sun's shinen, an' t' birds is singen, an' t' tree leaves glissen an' shine, an' t' bees buzz amang them, an' ther's bin a honey-fo', Ah like ta be i' t' looanens.

HOW-I'-T'-WAME—Big i' t' belly.

HORROCK— Played horrock amang 't.

HODDEN—Held.

HODDEN-GRAY—Cliath miad oot o' woo 'at's left its nat'ral colour without dyein.

HUMPING—Crying. What's ta humpin aboot ?

HUMMER—An expletive, a mild oath. Thee gah ta hummer, an' tak' thi auld nag wi' tha. Hummer it, Ah've knock't mi' finger nail off.

HUMMERY—Oh, hummery ta seck as thee.

HUBBLESHOO—A gurt nurration an' fluster. Ther was seck a hubbleshoo i' oor henhoose as yan niver hard, an' it was a wizzle efter t' chickens.

HUFF—In a nasty temper.

HUNSIP, HUNSIPEN—A bit ov a streitnen oot wi' t' use o' varra bad words. Ah niver gat seck a hunsipen ower owt be neabody as Ah dud ower that auld hare Ah shot.

HUSSIF—A holder for pins and needles, made of cloth, and folds up into a small compass.

HUFT—Bad temper'd. A bit huft ; in a huff. Ah was huft ta think on't.

HUGGIN—As mich streea, er hay, er owt o' that sooart as yan can carry at yance, that's a huggin. As mich yal as a chap can carry an' walk streck ; that's a huggin, ano.

HUGGIN-AN-POOIN—This is efter t' siam strain as hag-an-trail, an' some fooak er said ta be huggin an' pooin thersels ta death fer t' siak o' siaven brass.

HULK—An idle lout. Git oot o' mi rooad, thoo gurt idle hulk thoo, fer thoo's nowt else. It has been remarked that as our fore-elders were of a roving, marauding character, their language and ours naturally represents much of that kind of life. A closer acquaintance with the folk speech and a fuller appreciation of the significanse of its words reveals the instinctive hatred of all that is mean, deceiful, or underhand. No one can understand fully such a word as "hulk," the tone in which it is used of sheer disgust, without feeling that it comes from an inherent dislike of the thing signified.

HULKEN—Idling, lounging ways. T' gurt hulken, he rayder hulk aboot an' deea owt but work.

HULL—Whar they keep cauves an' swine, ta be sewer.

HUMLY-CUMLY—A lad's game o' hoppen like a tiad.

HUSK—Hoarse. Ah've a bad cauld, an' Ah've bin as husk as husk fer ower a week, an' Ah've neea doot but a drop o' rum an' honey wad skift it.

HUSSLE—What for does thoo hussle like that? Fooak 'll say thoo's t' scab. It means ta hotch yer back up amang yer duds.

HUTTY-BACKT—Spinal curvature.

HUPE-BAN—A band for the hips. T' auld fashioned tailors used ta put yan on yan's troosers an' aboot three buttons, but lauve in days yan wad be laft at ta ass fer yan noo-a-days.

HUPE-BUN—A bit stiff an' that aboot t' hips, makken fooak walk as if ther feet wer tied tagidder.

HUZZ, HUZZ'D, WHUZZ, WHUZZ'D—These is o' yah mak, an' they're akeen ta ooze, whiz, an' seea on. Ooze means to come oot whiat an' stiddy; huzz an' hiuz means ta come oot, but in a hurry, an' makkin a bit o' stir aboot it. Water 'll fair huzz throo a lal whol; seea will bliud oot ov a pig throoat. A lad 'll send a stian oot ov his sling, an' say, "By gen! dud thoo hear t' whuzz!"

HUG—Wrestling. Tak hauld o' hands wi' yah hand apiece, an' git hauld o' yan anudder wi' t' tudder, an intul't wi' t' feet; a gay lish fellow hes t' best chance.

HUPE—Around the body at the hips. He's gay middlen o' hiup.

HURREN—A shoolen, slenken, shafflen sooart ov a chap 'at's sense left ta be shamm'd ov hissel, gahs hurren by fooak wi' his heed doon.

HUGGIN' AN' LUGGIN'—Nursing an' suckling an infant.

HUGGINS—The hips. She'd t' barn astride ov her huggin an' a canful o' watter e' tudder hand.

HYPE—A chip i' wrusslin. When tweea kye feit, they deea t' hype. They stick a horn in, an' lift up, an' sometimes tak t' skin off.

ILLION-END—A wax-end.

ILL-GREEN—Badly disposed. An ill-green auld tyke.

ILK—Family; breed. He's yan o' t' siam ilk.

ILL—Nut badly, but vile an' bad. An ill-liukin' thing, an ill-wind, an' seea on.

ILLIFY—To slander or defame. Sista, he dud iv'rything 'at laid i' his poor ta illify me at mi spot.

ILL-MEZZUR—Hard usage. A briakin, a cottonin, an' sec. Ther war tweea or three ugly liuken thieves darken aboot, an' he was flait o' gitten ill-mezzur frae them gaan hiam.

IMP—A mischievous barn's varra oft co'd a poky lal imp.

IN—Permissible; to be allowed. Nay, come noo, that izzant in at neea price.—meaning that something referred to is unfair.

ING, INGS—A field and place name—Wood Ing, Main Ing, Hard Ing, The Ings, an' sec like.

INGLE, INGLE-NIUK—Yah while it's set doon at some ov oor auld ingles hed hed a fire allus burnen i' them fer generations, but it's a fashion 'at's deein oot, as cooal gits mair common, an' t' turf and peat scarcer. But ther's some conny auld ingle-niuks up an' doon amang us, an' they're famish spots ta sit an' tell boggle tials when t' wintry neets is on, an' t' wind's bealen doon t' chimla, an' iv'ry rattle maks yan's skin creep up yan's back wi' t' thowts o' t' awful things 'at yance war seen.

INKER—The eatable contents of a beggar's wallet.

INKLEWEAVERS—They're as thick as inkleweavers. Inkle is a rough mak o' braid, er tape, an' t' weavers on 't war some off-comers 'at leeved bi thersells an' keeped thersels ta thersels a gay bit, an' seea t' spack gat set off when it hed a meanin' an' it sticks on when an' whar it hes nin o' nowder.

INKLIN—A brief hint. Awovver, Ah gat an inklin o' what they war efter.

INTACK—A field name.

IS, IZZANT—Ther tweea varra nearly tak' t' place of am an' are. Ah is badly; thoo is a fiul; them tweea izzant oors; we'st be theer.

IN-BANK—Doon hill. It's o' inbank frae Pe'rith.

IN-ANUNDER — Underneath. Dud thoo see that gurt whelken rattan gah in anunder t' coorn kist?

IVERSOME—Always. Iversome at yan aboot it.

JACKY-STENS—A lass gam.

JACKSONED, JACKSONIN—Thrashed, thrashing. He gat amang a lot o' potters at Brough Hill, an' they gev him sec a Jacksonin as he'll nivver fergit.

JAGG—A journey. We'll gang anudder jagg. A load; we've nobbut a lile jagg left; turn to pay; Oh! Ah'll stand mi jagg.

JACKI-NAPES—A mischievous lad. He's bin i' mischief again, hes he; he's a young jacki-napes ta be sewer.

JANGLIN—Domestic discord. Says Bowness:

> " Will te drop thi janglin', Jinnet?
> Naggin i' that nasty way,
> Nivver ligs thi tongue a minnet,
> Stop it, du, I beg an' pray."

JABBER—Talk, an' plenty er ower mich on 't. Ther jabber's nivver diun.

JACKET—Skin. Ah'll warm thee thi jacket. 'Taties boiled i' ther jackets.

JACKILEGS—Pocket knife. Ah've a famish good jackilegs at Ah'll gie thi for 't, if thoo'l cowp mi.

JADE—A gay lish jade, not meaning anything but approval, of an active, stirring woman. A gurt idle jade has the opposite meaning.

JADDUR—Vibrate. Hem! Du't clash t' door teea like that, thoo maks iv'ry pot i' t' hoose jaddur. Clashen aboot, thoo's warse ner a bull in a pot shop.

JANNOCK—Fair-play. Noo that's a lang way off bein' jannock.

JANT—A journey for pleasure. We'll hev a jant oot efter tea.

JARBLE—To smear with mud. Thoo's jarbled o' thi petty-cooats.

JAUM—" T' jaum " is generally used for chimney piece, but t' door jaum an' t' winda jaum er theer ano.

JAW—This means tongue, an' plenty on 't. Let's hev nin o' thi jaw.

JAW'D—Abused. He jaw'd me rarely when Ah spak tull him fer his awn good.

JERRY—They're varra few noo, er t' jerries, whar they sell yal without ass'in t' Queen, an' mak ther awn. If they're co'ed jerry whols acos o' t' bad yal they sell, ther's neea wonder at "jerry" bein' used fer seea many maks o' thing 'at's up to varra lal.

JET, JERK, JERT—To throw a stone by bringing the elbow in contact with the side, instead of the usual over-arm method of throwing. Ah cud varra near jet it as far as thoo can throw 't.

JET—To shake hands. Children's rhyme, as follows :

> Shak hands lal kind cousin,
>   Lang sen we met ;
> A cup o' good ale,
>   Jet, Jet, Jet.

JIB—Face. Hod up thi jib tell Ah wesh 't. Near to Shap on the Appleby road is a point spoken of as t' "Jib." "We war gaan ower t' Jib afooar ye come ta t' Rakes,"—from which it almost seems that the crest of a hill or the edge of a higher level) is known as a Jib.

JIG, JIGGEN—Fussing about. Thoo's jiggen aboot i' good time ta-day.

JIKE—To squeak. Mi shun is jiken leddur. T' watter's that hard it varra near jikes when yan weshes yansel wi' 't.

JIMMERS—Hinges. T' door jimmers wants greasin'.

JIMMY-TWITCHER—A wire-worm wi' as many feet o' them as thers days in a year.

JINNY-SPINNER—A lang legged moth 'at likes a leet.

JIMMY, JAMMY, JADY, JADE—James. An' yan jammies a bit sometimes when yan's mair ner yan can carry streck.

JIMP—Cut out neatly. Thoo mun jimp it off nicely at t' corners.

JIMPT—Scanty; pinched. Thoo's jimp't it off far ower short at t' back.

JIP, GYP—What we co' oor cooaly, but when a lad gits a good twanken, that's gip, ano! A bad lad; he's a reg'lar gyp.

JISTE—Jisting oot, like beese 'at's fest oot ta gerse.

JOGGLE—Loose. This seat joggles aboot. To overflow. It was that full that some on 't wad joggle ower. Remind. He'll mebbe fergit, but thoo mun joggle his mem'ry.

JOCKY-TRODDLE—A bit o' horse swappin' mack o' craft.

JORAM—A joram o' yal, a joram o' physic—it's evident that wheeaivver gits a joram, gits rayder mair ner's good.

JOSS—To crowd. We joss'd again yan anudder.

JOSSEN—Crowded; squeezed. They war jossen aboot i' lumps.

JOWL—To shake up. Thoo mu't jowl t' can at o' er thoo'll spill t' milk. An ugly blow. Ah catcht mi heed seck a jowl over t' jaum. To knock; to bring in collision. Ah'll jowl yer heeds tagidder if ye can't be whiat.

JONK—A rough journey. Ah com ower t' fell tudder neet fra Mardle, en Ah hed a tur'ble jonk.

JOWK—To clash aboot.

JOWEL—The arch of a bridge.

JOY, DOY—An endearing pet name. Come thi ways joy ta thi auld ganny fer a berry shag. Did um doy? We'll gie them 't.

JONATHAN—A kind o' ket miad oot o' how-seeds ta mix wi' haver meal. Jonathan hed'nt ower good a reputation amang fooak 'at hed ta leeve a gay deal o' poddish, fer it maid them varra bitter, an' neabody but millers thowt owt on 't.

JOIST—Agistment. See Jiste.

JUD—An ugly push. He catcht mi sec a jud i' t' ee wi' his gurt hard elbow.

JUMP—When a blacksmith wants ta shorten an' thicken owt he jumps it, an' when a cricket bo' hits ye on t' thumb end and sends it up tweea er three inch it's jumped. A chap gahs ta t' toon an' co's back wi' his nooas stuck up, nacken like rotten sticks—he's jumped up. Miss. We'll jump that sum, it's a hard 'un. Ah war fair jumpen mad wi' t' tic. Ther's tweea er three mair macks o' jumps, but that's eniuf, an' eniuf's plenty.

JUMPER—A drill for blasting purposes. A Welshman tells mi 'at it's what they co' them teea. Yance Ah ass'd an auld chap what yan was, and he said " a kurn jumper." That wad be a up an' doon kurn, Ah reckon, an' ye hev 't ta nowt.

JYSELIN—It means the swaymish gait of a young chap 'at hardly knows hoo ta hod hissel amang fooak. Many a yan jysles a bit when they're oot o' ther element 'at gahs streck as a seeve amang t' nags an' t' kye.

KAIL-POT—An iron pan. But makkin broth is co'ed boilen t' pot.

KATE-AN'-DAVID—Tweea 'at's varra thick.

KATIN-AN'-SIAVIN—Scriapin a bit tagidder, an' takken care on 't. That's katin-an'-siavin.

KELTEREN—Stuff 'at's lowse an' scrowen aboot amang yan's feet's said ta be kelteren aboot. Hoo can yan git on wi' yan's wark wi' seea mich streea kelteren aboot wharivver yan puts yan's feet doon !

KEDGE—Kedge an' kite mud ha been yan, as nar as Ah can tell ye. It's t' wiam again.

KEEABER—Kelterment an' rubbish.

KEEK—A squinten, peepen, pinken trick is this—keep off't. Peeped. He was flait o' missin summat, an' keekt ower t' winda blind.

KEK—Turn-up. Kek t' cart up i' t' cart hoose. Sticking oot. Durt kek thi gurt feet up like that, er somebody's gaan ta tum'le ower them. To trip up. Ah kek't him ower as grand as ivver thoo saw owt i' thi life.

KELDERMENT—A conglomeration of incongruous parts (cush barn !). Say it's a lad's pocket 'at's ower full, an' his mudder hes 't turned oot. Ther'll be a crib chain, a bit o' flint an' an auld rasp, his jackilegs, an' as mich string as wad hang him, a teetolly if it's Christmas time, an' a rusty nail er tweea, a bit o' indy if he gahs ta t' skiul, an' his sliat cloot, an' a stump er mair o' pencil, an' happen aboot t' last thing's an inch o' twist, 'at he ca't tell hoo that's gitten in. His mudder co's it a heap o' kelderment.

KELK—Anudder dignified term (nacken again) for a salute. Ah gat a kelk i' t' stomach wi' yon young imp 'at Ah's nut fergit fer a bit.

KELL, KELD—A spring or well, found in place names, *e.g.*, Gunner-Keld, Salkeld, Threlkeld, &c.

KELTER—Money.

KEMP—A rough fellow. He's a gurt cooarse kemp 'at is he. He izzant fit to hev a cuddy.

KEN—Know. Ah dud'nt ken thi i' that hat. See ; perceive (hem !). It was varra nar dark, but Ah cud ken summat afooar mi.

KEN'D—Saw. Ah just ken'd him as he was turnen in ta t' fauld.

KENNIN'—Knowing. Thoo does grow! Ah's sewer thoo gits oot o' kennin' barn.

KENSELIN—A thrashing. Thoo'll git a kenselen if thi mudder catches thi smiuken bacca. It izzant bacca, it's fooal-fiut.

KENT—Knew. We kent yan anudder when we war lads.

KEP—Catch. Ther's mair fooak can kep ner can keep. Crecketers can kep t' bo' at times.

KESH—A dried stalk, seck as brocoli, cicely, an' seea on. As dry as a kesh; ther's nowt mich ta be gitten oot ov a kesh.

KESLOP—As tiuf as keslop. It's t' rennet to put i' milk ta mak cheese on.

KESSEN—Cast. A sheep er a nag er a coo 'at gits kessen is in a varra strait spot, laid fair on t' back an' can't stir leg ner limb, an' yan hes ta lift a bit ta git them up-ended. Bent wi' t' sun, siam as t' chap legs. When someone telt him they war varra bowed, "Aye," sez he, "they're a bit kessen wi' t' sun.

KEST—Whemmle. Swarm. T' bees is gaan ta kest.

KET—Ah've neea casion ta say 'at ket's summat o' neea 'coont. Owt 'at's nasty ket is up ta nowt. An t' aulder end 'll varra oft say, "keep frae amang seck nasty ket," when they mean bad mannered fooak.

KEVEL—A blunderen awk'ard way. Kev'len aboot i' thi gurt clogs. Anudder an' yan mair tull t' lot o' niams fer a rattle on t' lug. He catch't him a nasty kevel wi' his flat hand.

KEYED, KEYEN—When t' maut gits intul a chap's legs an' they plet a bit as he stackers frae yah side o' t' looanen tul tudder, he's keyen a bit an' his legs is keyed.

KEY-STAN—Ah've kent many a queer 'un, but si'sta thoo's t' keystan o' t' lot. That's fully explained.

KENSPACKABLE, KENSPECKLE—Conspicuous; easily picked out. He'd nobbut yah lug, an' it maks a body varra kenspeckle.

KET-CRAW—A carrion crow.

KENT-GRUND—It's when yan knows whar yan is, an' yan's varra feet seems ta ken o' aboot it.

KETTLE-O'-FISH—A sad mess. That's a bonny kettle-o'-fish, awivver, 'at is 't.

KEW—Fettle. Ahs a fair good kew fer a few poddish. His nooase gat knockt oot o' kew wi' feitin.

KEEP—Food. He was worken fer nowt nobbut his keep an' happen a bit bacca.

KIAD—A sheep loose er a bug. Ther nasty creepen kittlen things ta git on ta yer body. What ye'll ha seen them

sauven an' dippen, Ah lite ; that's on account o' t' kiads
an' t' wicks amang t' woo'.

KIAVE—Noo that's a grand 'un, an' signifies wiaden aboot
amang snow, er gerse, er muck. We kiave aboot frae
mornen ta neet.

KIAV'D—We kiav'd through; got through a difficulty anyhow.
They kiav'd doon t' middle o' ther bit—that is they wasted
t' middle, an' warrant ower nice wı' t' sides.

KIAVEN—Always busy diun nowt. They're allus kiaven at
it, nivver diun, up ta t' een i' muck an' wark.

KIRK-GARTH—Whar we'll o' gah yah day an' lig as whyat
as can be.

KIBBLE—A kibble's owt frae a swill tull a porringer. Bring
thi kibble an' full't.

KIDDIED—Ta play t'trewen. Yance ov a while they warn't
hauf as nice aboot playen trewen as they er noo, an' some
lads 'at Ah kent hed aboot a quarter i' yan o' them ghylls
Ah telt ye on. Hooiver when t' cauld wedder com they'd
ta turn up, an' in explanation of their absence informed
the man of rods that they'd "been wanderen aboot."
Them was days when a lad hed some fun i' bein' whick.

KILP—Ass t' lasses what they fassen ther frock wiasts wi',
kilps an' e'en.

KING-COUGH—When t' barn coughs an' kinks tell it's black
i' t' fias.

KIN—A crack i' t' skin wi' t' frost, hard watter, an' seck.
Ah've seen a chap drop melten shoemakker's wax intul
them, an' he's gurned like o' that when it bat.

KINK—A twist. T' dog hed a kink i' t' tail.

KIN'LIN—Firewood. Git t' kinlin in.

KIRK-MAISTER—Churchwarden.

KIRN-SUPPER—The rejoicing at the conclusion of harvest.
Not so many years ago it was a practice to serve cream
that had been beaten up in the kirn, with other good
things of a similar nature, and from this no doubt comes
the name.

KIRN—To stir up. Thoos' neeea casion ta kirn it aboot
like that.

KIRN—T' first kirn I remember owt aboot was a lang strait
tub wi' wood hoops on. It hed a lid on 't, an' throo t'
middle o' t' lid ther was a lang streck stick, like a riak
steel ; this hed a cross on t' boddum ta stir t' milk wi',
an' it liukt gaily hard wark wallopen on 't up an' doon.
An' this they co'ed a up an' doon kirn, an' t' aulder end
co' them stand kirns, ta tell them frae kirns 'at's worked
wi' a han'le.

KING-APOSSLE—A lad gam.

KIRNEN—In constant commotion. It was kirnen an' jowlen,
jowlen an' kirnen, nivver still ; allus at it, kirnen an'

jowlen. That was a famish auld chap's view o' t' sea t'
first time ; anudder said his booels was kirnen up an' doon.

KISENED—As kisened as a kill stick. Noo Ah nivver saw
a kill stick, but it's summat varra dry wi' neea natur left
in 't, acos owt 'at's kisened's mortal near withoot any sap
er owt worth niamen.

KIST—Meal kist ; clias kist; cooarn kist; an' tudder, t' last
suit of o'.

KIT—O' t' young 'uns. Ah've put o' t' kit o' them off ta bed.
She's come an' browt o' t' kit wi' her, an' seea on.

KIT—Ther's a lot o' different macks, let's see. Ther's a
fish-kit, a wiss-kit, a bas-kit, a band-kit, a watter-kit, a
shop-kit, a chammerly kit, a taty kit ; t' tinklers hes a kit,
seea hes t' sowjers on Brackenber's historic plain (that's
a bit o' nacken o' mi awn) ; an' even t' varra beggars on
t' rooad 'll hae ther kit—a gurt wallopen pocket, er a lal
bit pooak ; Ah izzant sartin that Ah've set them o' doon
but they'll deea ta be gaan on wi'. Mainly a kit's summat
(varra near owt) to put summat in an' carry it aboot wi'
yan. In the Church accounts at Morland, A.D. 1648,
Kit is spelt Chyt.

KITE—Stomach. It lal kite's that full ye could crack a
loose on't. Ther's a bit a difference atween a kit an' a
kite, but ther alike i' yah respect, an' that is they're ta
carry stuff aboot in. Tian's fer t' back an' tudder fer t'
front mainly.

KITH-NER-KIN—They're badly off at's nowder kith-ner-kin.

KITLIN—A young 'un—he's nobbut a kitlin.

KITLIN-TATIES—Howken them oot wi' t' fingers an' leaven
t' tops—it izzant a honest way, as a rule.

KITTLE—Varra spry an' sharp. As kittle as a moose trap.
Likely. A kittle spot fer an auld hare.

KITTLE—Itch. T' frost's i' mi teeas, an they kittle whel
Ah can hardlee bide i' mi skin. A sair spot 'at's menden
kittles.

KITTLED—Pleased. He was fairly kittled wi' a bit ov a
tial aboot owt funny.

KIRMAS-GIFT—Summat fer t' barns. Varra oft a paper o'
pins ta laik wi'.

KIRSMAS-GLASS—This is fer up-grown 'uns they tak't
warm, wi' a bit o' sugar tull 't.

KNAB—To catch ; to take possession of. Ah'll knab thi if
thoo co's here. He's knabb'd mi knife, Ah believe.

KNAB—A high situation ; where an elevation terminates.
He went ower t' knab. Hardendale Knab, in West-
morland, an' lots beside.

KNAP—A smart blow. He gat a knap ower t' lug. The
sound made by two hard substances meeting. His heed
went " knap " when he bat on t' fleear.

KNAP—Deft, cunning. He's a knap hand wi' a gun.

KNAPPIN—A sharp manner in walking. He was gaan knappin doon t' rooad in his clogs. To drive small nails with a light hammer.

KNARLED—Knotty; awkward and hard to deal with. Thoo's a knarled auld beggar.

KNARLEN—Scolding; complaining. What's ta knarlen aboot; thoo's allus knarlen aboot summat.

KNEE-DEEP—When it's snow 'at's knee deep, it's deep eniuf.

KNEP—Pick. Thee jump up an' knep a daisy is a derisive expression. The horses knep one another, an' a knep of corn or grass is good to catch yan wi'.

KNIT—A swarm o' bees "knit" whar t' queen'll let them; an' fooak knit round yan anudder when ther's a bit o' trouble on', er a bit o' fun.

KNOCK—Rate, bat. He was gaan at a ter'ble knock.

KNOCKIN'-ON—Getting forward (hem!). We're knockin on.

KNOCKIN'-OFF—Giving over. Ye'll be knockin off siun.

KNOCKT—Done. Oh, he's knockt anytime.

KNOCK-KNEED, KEY-LEGGED—This izzant t' spot ta pick fun oot o' anybody's misfortune, but they mun be set doon wi' t' rest.

KNODDEN—Wait while Ah've knodden. She was biaken, seea ye may guess what it means.

KNOP—A bud. T' rosy-tree's i' knop. A door handle. T' door knop's lowse. A tub 'at women fooak wesh clias in. Full t' knop, an' set clias ta soffen. Head. T' barn knop's sair. Ah catch't mi knop ower t' stee.

KNOT, KNUT—Top o' t' heed. T' ladies' word fer their way ov hair dressen.

KNOT—A "lumpy" hill in a chain of hills—*e.g.*, Helmside Knot, Hard Knot, Arnsid' Knot, Benson Knot.

KNOTTY-TOMMIES—Boilt milk wi' t' haver meal thrown in i' hanfuls. It comes oot i' lumps as big as a cock-heed, an' as sweet as a nut.

KNOWE—A rounded hill. We went ta t' top o' t' knowe.

KNURL'D—Shrunken; shivering. T' barn's knurl'd wi' cauld, tak't in.

KNURR-AN'-SPELL; SPELL-AN-BULLET—A lad gam.

KOOK-AN'-HEYDE—Hide and seek.

KOP—Shoot kop an' hod a bit o' cooarn, an' ye'll catch a nag happen.

KOP—Catch. She'd plenty o' brass as far as that gahs, but she was neea gurt kop fer o' that.

KOPT—Caught. It copt me on t' back; kopt e t' wotchud; kopt in a shoor.

KYE—Cows collectively (nacken again). Gang an' fetch t' kye in ta milk.

KYLE—An angry or inflamed sore which does not head up to burst like a bile. Mi nief's as sair as a kyle whar Ah cot it.

KYSTY—Fooak 'at's varra pensy aboot what they eat, er said ta be kysty.

KYTLE—A workmen's linen jacket for summer. A kytle's a varra handy thing i' het wedder.

LADE, LADLE, LADIN'-CAN—To emyty water out of any place with a ladin-can is to lade it oot. Poddish suppers o' know what a ladle is seea Ah need say neea mair.

LANSMER—Field name.

LAL—Little. A lal word's a conny word.

LAL-'UN—Child. Hoo's t' lal-'un ?

LAV'ROCK—It's nowt nobbut t' lark 'at sings i' t' sky, but ther's neea spot i' this world whar they deea 't better ner i' Lakeland. An' Ah'll tell ye what besides that, ther's varra few pliaces 'at liuks any better ner oors if ye'll tak it i' t' reet time, say i' July when t' looanens er full o' rooasies, an' t' fields full o' gerse, an' t' trees full o' leaf an' blossom, an' t' rabbits er laken, an' t' lavrocks singen, an' t' cushats cooen. Ye chaps 'at know what setts er, an' er acquainted wi' gas, tell us noo streck oot frae yer hearts, is ther owt ta come up tul't 'at ye ken on ?

LAIRY, LAIRT—Miry, as clayey land in wet weather. Draggled with wet adhesive mud, as sheep may be that are on t' turnips in a wet fit o' weather, an' they git clarty an' lairt wi' 't.

LASH—To feed immoderately. Lash it in.

LACED—Drunk.

LACED-TEA—Tea wi' rum in 't fer kursenins, weddins, er owt o' that mack.

LADIES'- GARTERS—Ornamental grass, striped.

LAD-BARN—A man child. T' doctor's browt huz a new babby, an' it's a lad-barn.

LADDY—T' dog.

LASSIE—T' bitch.

LAID DOON—When twea wrusslers meets, an' yan o' them turns flait, er fer owt else, an' wid'nt gah on wi' 't, he's said ta lig doon, er he laid doon ta seea an' seea.

LAID-DOON—A plewed field 'at's turned to gerse—an' ther's white a lot o' fields laid doon i' that way i' Lakeland.

LAIK—When a grizzled auld chap sits doon ta think aboot t' laik lads an' lasses ov his barnish days it maks him feel auld an' daft, an' efter o' ther's summat aboot it 'at yan likes. Yan's here, anudder's yonder, ower t' sea's some, i' gurt toons an' hee spots udders, some hes barns o' ther awn laiken, an' some hezzant ; ther's some i' t' auld spot, an' some izzant whar we can see ther fiases any mair 'i this changen scene, but them 'at's laikt tagidder as barns

er a lang time fergitten yan anudder o'tagidder. Laiken
is t' free masonry o' t' grand order o' barns, an' they're
lucky an' happy 'at leets on a good lodge.

LALL—To hang the tongue out in derision. Ah'll larn thi
ta lall thi tongue oot at me.

LALLEN-OOT—Protruding. T' tongue was lallen oot a fiut
varra nar. Said of an exhausted horse.

LADY-CUSHION—A rockery plant.

LAMB-TAILS—The bloom of the hazel.

LALLIKER, LORRIKER—Tongue. T' doctor wanted ta
see a barn tongue 'at was badly, an' ass'd it to put it oot.
T' barn dudn't understand nacken, seea t' mudder hed a
go, " Lal oot thi lalliker," an' oot it com.

LAND-END—Ther's rians, heed rigs, an' land-ends, they're
o' amackaly o' yah sooart, with a difference, ye ken. If
some ov oor farmer lads wad set tull, they wad fair
cap some on us wi' ther niams an' nooations.

LANDSLACK—Field name.

LANGEN—A feminine pecularity.

LAITHE—Unwilling. Ah was laithe ta put him i' t' Coonty
Coort, but what cud Ah deea, he wadn't come tull.

LADS—Sons. An' they stop " lads " in some cases until
they become old men. " Neddy lads" was turned seventy.

LAG—Last. In choosing the order of playing some children's
games "foggy" and "lag" stand for first and last.

LAP—To wrap up; to finish up; a lap o' streea.

LAWRENCE LARRY—It's a complaint 'at bodders fooak
'at er boorn tired an' nivver hev a chance to rest thersels.

LASHOP, LASHOPEN—Caleeveren aboot frae spot ta spot.

LANG-TONGUED—Yan o' them fooak 'at talks thirteen ta
t' dozen. Thoo lang-tongued slenk thoo; thoo wad talk
a dog tail oot o' joint.

LANT—What they mix amang yal ta mak't grip. Cush,
what stuff yan'll swallow.

LANT—Lant's annudder ta t' lot. Ah'll lant thee thi canister.
It's a card game ano, laiken at lant, an' it's summat else
'at Ah won't put in, er ye'll laugh.

LASH-COOAM—What we reed wer heeds wi', ta be sewer.

LASH—To comb. To stir water round a vessel to clean it
out. Lash a sup o' het watter roond tweea er three times.

LASS-BARN—That's t' new woman i' miniature.

LAUVE, LAUVINS, LAUVINS-DAYS, LAUVES-ME—
Fullers up, siam as Lawk-a-mercy, Lord love me, an'
tweea er three mair o' t' siam mack.

LAVE—Remainder.

LAWTER—A brood of chickens, or a litter of pigs.

LAZY-BED—Noo Ah's nut a gardener, but it's like this, ye
lig yer taty sets doon and cover them ower asteed o'
griaven a trench ta set them in.

LANG-LAST—Owt 'at's lang i' comen, siam as t' last o' these riapen tials Ah's tellen. At t' lang-last he gev ower an' shot up.

LANG-LENGTH, LANG-STRECK—Full length, but not necessarily a " long " one, for it is recorded of one whose diminutive proportions allowed him in his own words to fo' o' his lang length ower a coo clap.

LANG-SNOOTS—A mack o' apples.

LEDDUR-BACKS—An' seea 's these.

LAMMAS—Off in a hurry. Thoo mun lammas off efter him as hard as thoo can leddur.

LANGSETTLE—A wooden seat generally provided with a good thick cushion, and forming one of the standard items of furniture in the kitchen of a farm house. Famish things is a langsettle when yan's tired oot.

LASHINS—A plentiful allowance. We'd lashins o' rum an' milk, an' bacon, an' eggs, an' yal.

LATE, LATEN, LATED—Seek, seeking, sought. Late us mi shun, will ta ? What ar ye laten ? Ah's laten t' cuddy fer sewer, t' auld beggar. Tudder chap thowt Tom was daft acos he was laten t' cuddy an' liuken at t' rooad siam as if he thowt a cuddy cud field in a car-track, but Tom was laten fiut marks, to see whilk way it hed gian. Ah've lated hee an' low fer that nooat· Fooak 'at's allus laten er varra oft fooak 'at's liat.

LAZY-BAND—When a cross cut saw hez ta gah through a varra thick tree, a riap's fassened ta t' hannles, an' three or fower men git hauld an' poo, an' that's co'ed a lazy-band, but mind ye it izzant acos they're idle—net it marry.

LALDER, LALDEREN—Doe den it noo, but cush barn, Ah'll tell ye what this is neea laughen matter 'at is 't nut, lalderen aboot, clashen in an' oot first e yah body's hoose an' than in anudder Ah reckon nowt on 't 'at deea Ah nut.

LANGSOME—A most expressive word, implying not only long and lonely, but wearisome, and oppressive by reason of some haunting desire which cannot be got rid of for want of diversion.

> " I'd fain ha' talkt, but still hed nowt ta say,
> An' seea kept silent, aw the langsome way."

LALACKEN—Trailen aboot frae yah hoose tull anudder, tellen t' tial an' hearen on 't. See Lalder.

LEG-IT—Walk hurriedly. He could leg it ower them fells, an' up an' doon them gurt craggy spots.

LEG-UP—What a chap ass'es for when he wants ta git on a nag, an' ther's neea horsin stian.

LEGS-AN'-WINGS—A fellow 'at's some lang smo legs an' arms. " A gurt cradda bians 'at thoo is ; thoo's o' legs an' wings."

LENNOK—Loose and aimless. His arm hang doon as lennok as watter. This collar's lennok wi' sweet.

LEET-ON—Ah bin laiten a sweetheart fer many a year, but Ah ca't leet-on neea way.

LEETSOME—Cheerful, or cheering. A change is leetsome, if it be nobbut oot o' t' bed intul t' beck. Silly. He's a bit leetsome.

LEET-HEELED—A nimble runner.

LEET-FINGERED—A nimble thief. Yan can ply his feet, an' tudder his nieves. They owt ta gang tagidder.

LEETEN—A sudden improvement in the condition of one who is dying; it's nobbut a leeten.

LEEUM, LEEUMEN—A gurt idle leum, 'at is he, leeumen aboot, an' liggen on t' rooad side, er on t' hay mew. These tweea's aboot a chap 'at's as idle as Ludlam dog, an' it laid it's heed again a wo' ta bark. An idle leeum wadn't turn ower when yah side ov his carcase was rusted, ta rust tudder, if anybody wad deea 't for him. Ah'll leave ye ta guess hoo idle that is, an' say neea mair aboot it.

LET OOT—Ah war gaan by t' gallawa tail when it let oot an' catcht mi seck a whiddur fair at thick o' t' thee, as Ah'll nut fergit.

LET ON, LET WIT—To give heed. Ah hard him, but Ah nivver let on. Take no notice. Thoo mun tak neea nooatice on him, co'in thi, niver let wit 'at thoo hears him; he means nowt bi' 't.

LET-DOON—A drink. I hev neea objection ta a let-doon, an' Ah's varra nar chowkt; bring us a lal drop i' t' liadin' can.

LETTIN-DOON—A disadvantage. It's a gurt lettin-doon ta fooak when they're short o' sowder. An' some'll say it's a gurt lettin-doon when fooak ca't ken what's ther awn, frae that o' somebody else.

LEAD ATWEEN—It means if ye're leaden muck wi' three nags an' cars, yan'll be at t' midden fullen, yan at t' field emptyen, and yan on t' way owder gaan er comen back; him at leads atween hez t' best job on 't; he can ride yah way.

LEAF—T' inside of a pig's ribs; grand fer makkin same on.

LEAR—A sken. At dark it's a lear. Ah liuk at this yan as bein' varra handy. We've a sken, an' a glent, an' a glif, an' a glimmer, an' tweea er three mair fer day-leet. This is fer t' dark, when t' broos is lowered wi' streenen ta git a seet o' summat, an' o ivver ye manish ta deea is ta catch a lear on 't.

LEATHER-DICK—A leather brat fer barns, ta keep them frae burnen ther clias.

LED-FARM—A farm that is managed, and on which the farmer does not reside.

LEDDERDY-PATCH—Ass a fiddler. Ah nivver could dance nin, but Ah've hard fooak talk aboot cross t' buckle an' leddery-patch; it's sum mack o' silly craft, Ah'll apode it.

LEEM—To strip. Leem oot o' thi cooat an' gang an' buckle teea. We chip't t' maister fer a quart, an' he leem'd oot.

LEEMER—The hazel nut wnen ripe or ripening, and leaves the husk.

LEE-WATTER—Serum. It's parlish when lee-watter begins ta come oot ov a sair spot.

LEET-GEEN—Ah's in a quandary wi' this yan. If Ah put it in some on ye'll say Ah sudn't; if Ah durt some on ye 'll say Ah darrant. It refers to a bad habit some men hev 'at sud know better.

LEP—Drink. He likes his lep.

LEP—To sup like a dog by licking. Lep it up.

LEP—A bundle o' straw is a lep o' streea.

LEY—A scythe.

LEEVE—Rather. Ah'd as leeve be tied tul a coo tail an' trailed ta deeth.

LIEVER—More readily ; much rather.

LEG-BAIL—Run away. He gev them leg-bail, an' 'listed.

LEADEN—Carting. We're thrang leaden muck.

LEDDUR—Anudder fer tannin. Ah gat leddur'd fer gitten wet-shod. To go about in a great bustle. He was ledduren aboot efter t' cauves. To beat. We leddured them at crecket.

LEDDERIN—A thrashing. Ah gat a ledderin for playin' trewan.

LIASE—Still anudder.

LET IN—A bad sign when a chap's shun let in. Deceived. Ah was let in wi' that skaymeril ov a potter.

LIAV-LUG'D—Drop eared. That nag's liave-lug'd.

LICK-FOR-SMACK—If a body was gi'en ta nacken yan wad write this phrase doon as "vigorously." O' ivver it means is 'at somebody 'at hed a task afooar them— whedder it was mowin, er fieldin, er riasen, er wrusslen, er gitten away frae something er annudder 'at they du't like—seea lang as they deea 't wi' a fullock, an' put ther hearts intult job, an' strip off tult, that's lick fer smack. A chap was tellen me aboot a feit, an', says he, "At it they went, lick fer smack. T' wick 'uns 'll trail deed 'uns oot." That's it to a T.

LICK-POT, LANG-MAN—The first and second fingers.

LIFT—Start. They gev him a good lift at t' first an' he's nivver liukt behint him sen. A ride. He gev us a lift amang t' batches.

LIGGERS—Long branches which a diker cuts partly through and ligs down to form a dike.

LIGHT—Nacken fer leet—ta sattle. Ye'll find this yan's an auld 'un if ye liuk intult reet.

LIG-IN, LIG-OOT—These tweea's aboot t' young beeas, an' whar they spend ther neets. They lig-in er oot as 't happens.

LIG-IN—This is aboot summat else; it's when t' family's growen i' numbers.

LIG-IT-IN—To put the dried hay together, so that it can be carted or cocked. To put a scythe blade and shaft together.

LIG-IT-ON—To grow fat fast.

LILT—To go with a lively spring. She lilts aboot like a fower year auld.

LILTEN—Frisking. Give ower lilten aboot, an' deea some wark.

LINE—Linseed growen.

LIPPEN—Paired. Whia noo, hes thoo hard t' liatest? Nay, what is 't? Whia, but thoo mu't tell, t' heed man's been sitten t' youngest lass up, an' they're gaan ta be wedded at t' tierm. Whia what Ah izzant capt, Ah lippened them tweea a gay bit sen, but Ah sed nowt ta neeabody.

LISH—Active. As lish as a tweea yer auld. It's a good sign when yan's lish.

LISKS—Whar legs an' body join. Stiff at t' lisks, a mower 'll say, t' first day at it.

LIST—Energy; life; activity. Mi bians wark an' Ah've neea list fer nowt.

LISTIN—A narrow strip of cloth at the side of a web.

LIST, LISTED—These er aboot gangen ta sarra t' Queen in a reed cooat an' a cockade. Ther's t' makkin o' some grand gunpooder food i' some o' oor gurt row lads, but a good job fer thcm an' huz ther's nin seea many o' them 'at taks tult. An' t' auld fooak they fair seem ta dreed owt aboot listen. Let them feit at fratch, sez Ah, an' nut huz.

LITHER—He up wi' his nief an' catched him a lither fair ower his kisser, an' than off.

LITHE—Lish, an' cant, an' fresh; thoo liuks lithe.

LITH'NIN—What they thickin gravy wi'

LINK—Arm in arm. Sweethearts in an advanced stage of the complaint affect a good deal of linken', and it is recorded of an auld world farmer who went to hire a lass and came back without, explaining to his better half that o' t' lasses at was up ta owt hed gone blind. " Gone blind," said t' missis, " hoos that ? " " Nay," he says, " Ah du't know hoo 't is, bit iv'ry man jack o' them hed a chap leaden her bi t' arm, an' thoo knows we ca't deea w'i tweea o' them on oor spot." An' she peppered his lugs wi' caper sauce fer some time aboot it, an' t' blind lasses. T' auld woman knew 'at love izzant blind ato', an' 'at it sees a lot mair i' linkin ner an auld dooaten fellow 'at niver gits linked nobbut when he's hed a lal drop ower mich gin.

LIP—Let's hev nin o' thi lip. It means impudence, er cheek.

LIPT—He lipt mi rarely—t' siam again.

LISTER—A fork wi' a lang shank to stob fish wi' when ye can catch them asleep.

LITE—Suppose; imagine. Ah lite yer tired wi' trashen aboot. Met. We could nivver lite on.

LITED—Depended; expected. We lited on ye comen ta yer tea.

LIT ON—We war gaan ower bi t' Common Holme when we lit on wi' tweea er three mair fooak.

LICK-SPITTAL—This means a dirty minded man, but Ah've hed a go at tryin ta find oot what a spittal is, an' yan tells me it's a gurt wood spiun; if it is, lickin a spittal's nowt ill aboot it.

LIG—To lie down. Gah an' lig ye doon a bit.

LIGGEN—Laying. He's liggen doan fer an hour.

LIN-PIN—It gahs through a car assle tree, an' keeps it i' t' spot. We used at yah time ta think it was a good breck ta tak a lin pin oot, an' field it. They've mair sense noo.

LIMB—A rum fellow. He's a limb.

LIMMER—Pliant.

LINJY—Agile, well-built.

LILL—To rear and whinny as young nags do.

LILLY—To coax up. He'd ower mich lilly wark aboot him fer me.

LILDEREN, LILDER—Leet i' t' heed as well as t' feet. Fooak 'at lilder aboot frae yah spot tull anudder er up ta nowt.

LIMMERS—Cart stangs.

LIG-ON—The battle cry of lads, " Lig-on."

LIG-IN-LANKY—Pitch intul 't.

LIMMISH—A bit ov a limb fer a breck.

LINED—Summat up wi' t' bitch.

LIAF-BREED—Bread in loaves, as distinct from that in cakes; but "liaf" is frequently used for fruit loaf or spice cake.

LIATHE-LOFT—A barn over other buildings such as stable, cowshed, &c.

LIATHE—Mappen some on ye 'll think er say 'at anybody 'at 'll print owt aboot a liathe sud be i' Garlands, an' 'at they're barns, nut liathes ato. But if ye'd fielded i' yan when ye war barns, an' rowt i' yan when ye'd gitten up, ye wad want a good word fer t' auld liathe. Mewin i' summer, threshen i' winter, allus in an' oot, what yan's like ta git weel acquainted, an' whar is ther seck a spot fer a dance when we're hevin a merry neet an' seck? It'll be a cauld day fer huz when we hevn't a warm word for t' liathe.

LICK—Yan mair fer a ledderin.

LICKT—Beaten. Thoo's lickt me hiam. If ther's owt in 't, t' main o' t' lickins 'at seck as me gat when we war lads was wi' a bunch o' birks, 'at miad yan canny aboot sitten doon fer a bit. Noo, ye classic chaps, oot wi' 't.

LICK-AN'-A-PROMISE—A shuffling mak o' diun owt 'at's neea good. Hes thoo wesht thi fias? Aye. Thoo's gien 't a lick an' a promise, thoo gurt idle slenk.

LIGS-ROUGH—Said of one who, having no home, sleeps in out-houses. Also said of those who get belated. We hed ta lig rough, or sleep rough.

LIKELY—Probably. Likely ye'll be gaan ta t' sial. Ah likely will.

LIMBER—Varra pliable (hem!). It means like this: If t' cart gear gits hard, an' ye grease it, an' it turns soft, it's miad it limber; yer joints 'll be limber at times, an' at udders as stiff as a crutch.

LING—Heather. Ling besoms yah while war varra common, but they can't mak them i' Garmany, seea what we mun deea withoot noo.

LING-CROPPER—Yan off t' Black fell side.

LOLLOCK—A good big lump. As auld Nanny lad, Ike, said when they'd company at dinner, an' she ass'd him if he wanted sarra'en wi' any mair meat. "Aye," sez he, "Ye can cut us a lollock o' fat an' a lollock o' lean tell Ah gah an' wipe t' sweet off mi broo." A lal unmannerly urchen.

LOUNDER—Handled roughly, Ah loundered him a bit wi' t' besom shank.

LOSHES—Our dialect has more of the harsher sounds in it, as is natural, but this is one exception. It is used to signify the liquid "swish" of the flooded river as it flows over the boulders in its course, and is unequalled as an onomatopoetic. One of Lakeland's poets, who uses its dialect for his verses, has said of the Lyvennet that it

> " . . , . laykes an' loshes ower the steaynes,
>   Like kitlins wi' a cloot,
> Howks grubs an' worms fra under t' breeas,
>   To feed t' lal hungry troot."

The contrast of sound in the two first lines and the two last is well brought out.

LOST-AN'-LOPPART—Soor wi' muck. Sairy things, t' barns war lost an' loppart i' muck.

LOUR—Liuken dark an' like rainen; also a fellow 'at's his rag oot, an' showa it—it's louren.

LOVE—Ah'll feit thi fer a sov'ren! Nay, Ah'll nut tak a sov'ren frae thi seea easy as that, but Ah'll tell thi what Ah'll deea, Ah'll feit thi fer love. Ah've seen chaps feit fer love tell ther heeds was like a shammles.

LOW—A blaze. Keep thi fingers oot o' t' low.

LOWN—A quiet sheltered place. It's lown here, we'll leet up. When ther is neea wind and everywhere is quiet and still, it's varra lown; an' some places lig varra lown.

LOWMER, LOWMER-DOON—Lower, it's a gay bit lowmer (or lowmer-doon).

LOWP—Jump. Thoo miad mi lowp.

LOWPER—Jumper. He's a rare lowper.

LOWP-DIKE—A coo 'at izzant satisfied wi' her own, but seeketh that of another—ower t' dyke.

LOW-PRICED — Mean; underhand; deceitful; coarse; vicious; an' owt else 'at's bad is " low-priced."

LORDS AND LADIES—See bulls an' cows.

LOBBY—Fat. A gurt lobby lad.

LOB-LOLLY—A gurt fat easy body.

LOB-SIDED—On one side. Thoo's lob-sided. An' seea's thoo.

LOFT—Upstairs. Cock-loft's up again t' riggin. Hay loft is varra oft ower t' coo 'us.

LOGGIN—A bottle of straw.

LOP—A flea.

LOW—Downhearted; fallen spirits. He went low ower a lass.

LOWERMAS—Lammas.

LOWNDER—A chap 'at izzant varra handy wi' his legs an' feet. Theer, thoo'll lownder aboot tell thoo flees ower.

LOWSE—Relaxed. Raffy. He gat inta bad company, an' he's gian varra lowse an' drucken.

LOWSE-END—Disengaged. Ah izzant hiren this tierm; Ah'll hev an odd hauf year at t' lowse end.

LOWSE-OOT—To unharness, or uuyoke a horse from its work.

LOWSE, LOWS'NIN—An apprentice whose time is served; a lowsnin is the feast got up in rejoicing on the stage of journeyman being attained.

LOCK—A handy load, or a small portion. Thoo's just a nice lal lock fer t' next liad. Ah'd a lock o' streea under mi arm; a lal lock o' cooals, an' seea on an' seck like.

LOFF, LOF'D—Offer; choice. Ah'd t' loff o' yan at mi awn price. Ah lof'd misel ta gang an' help them when they war seea hard throssen wi' yah thing an' anudder.

LOG-WATER—That part of a pool that is distinct from the stream.

LOOANCE—Aye fer sewer, what ye'll want t' looance noo. It's summat, generally yal, 'at's allooed ower an' abiun t' price o' t' wark; er a bit ov a job ov any mack—its a looance job, neea wage ato.

LOOANEN—A rooad wi a dike o' biath sides is a looanen, an' ther's some bonny 'uns i' Lakeland.

LOOACH—As streck as a looach; but Ah niver saw yan.

LOOACHER—Lal fish. Tommy looachers an' bull heeds.

LOOK—Poo thissles wi' a pair o' lookers. Anudder rampen good niam fer a blow. He gat a look under t' lug fer his trouble.

LOOKERS—A pair o' lang legged pinchers ta poo thissles oot o' t' cooarn wi'.

LOPPART—Crudded milk; it's loppart.

LU'YA, LUSTA, LUCKSTA—Look ye. Lu-ye! lu-ye! Liuk whar yer treeden wi' yer gurt pasty-feet.

LUBBER—A term of disgust for an idle person.

LUDGEMENT—Lodgings. Says Bowness:

"Sic monkeys are sewer ev a dirty ludgement,
'At show, like thee, meear sperit ner judgment."

LUMP-IT—What yan doesn't like yan hes ta lump; that is, swallow withoot chowin!

LUG—To pull the hair or ears for punishment. Ah'll lug thi toppin a bit fer thi pains.

LUG AN' LAGGEN—All over. He was grease an' muck o' ower; covered frae lug ta laggen. In a tub "lug and laggen" includes the whole of the parts.

LUG-MARK—A sheep's ear punched or clipt to distinguish it from those of another owner.

LUGS—The ears of any and everything. The places to which the handles of buckets and cans are fastened; the ear covers of a cap; a part of a clog or shoe upper.

LUG-WHOLS—Ear holes. Stuff thi lug-whols wi' woo, an' keep t' cauld wind oot.

LULLEN—Lolling; being embraced. "Basken an' lullen in t' arms o' Nan Bullon," says Whitehead.

LUMPHEED—A silly chap 'at's diun summat he owtn't is varra oft co'ed a gurt lumpheed.

LUNGIOUS—Subtle; revengeful. A gurt lungious brute.

LURRIED—Worried. He set t' dog at them, an' lurried them oot, an' kilt yan or twea.

LUSH, LUSHT, LUSHEN—Ye'll see on a public hoose sign boord 'at seea an' seea is licensed to retail "ale, beer, wine, and spirits." That means he can sell lush to them 'at wants it; an' some gah as far as ta say "licensed to be drunk on the premises"—that is to be lusht. Lushen is ta git a lot o' drink inta a body 'at likes it.

LUSH—Juicy; rich. That beef's varra lush an' tender.

LUCK-PENNY—What's given back "fer luck" off a bargin. Thoo'll git neea luck-penny oot o' mi.

LUM—A deep dub whar they wesh sheep, an' t' lads dook.

LUMPS AN' STULLS—Noo, that'll cap some o' ye nacken bodies. It's when t' poddish er owt co's oot i' gurt lumps; they're o' lumps an' stulls.

LURRY—To pull to pices with the teeth. He was lurryen at a gurt lump o' fat meat, an' he was grease frae lug ta laggin.

LYA—Listen. Lya at yon auld maunderen thing.

MANNER, MANNISHMENT — Manure; tillage. Thers nowt beats gaily o' mannishment fer taties. In some old documents belonging to the parish church of Morland "manner" is given; date 1665. An "oldest inhabitant" in the writer's earlier days used the same word to desscribe manure formed of dung, earth, and lime.

MAIDENHEED—Summat funny frae yan 'at reckons hissel sharp. What's e' them pooaks? Maidenheeds.

MACK—Kind; variety. It tacks o' macks ta mack ivvry mack, an' some's a mack ta thersel.

MADDLEN—A body 'at's a bit daft. Thoo's a gurt maddlen ta gang an' sell t' cowey.

MAINLY-WHAT—As a general rule.

> For Miley is mainly-what nowt but a brick,
> An' scorns frae his heart an' unnebberly trick.—*Bowness.*

MAISTERMAN—A maisterman's a chap 'at's sarra'd his time, bin a journeyman, an' than set up fer hissel—a maisterman tailier, an' seea on; an' he's mebbe t' maister ower neea body but hissel.

MAISTERMAN—A chap 'at hes a bit ov a temper, an' gies way tull't. Thoo's a maisterman, but Ah'll pare thi doon a bit.

MAISTER—Superior. He's my maister at leein'.

MAISTER, MISTRESS—"Oor maister" an' "oor mistress" are used generally for "husband" or "wife."

MAJESTY—Top o' mi majesty. It means varra oft at top of a varra poor sooart ov majesty, co'ed bad temper.

MAK-FER-A-MAK—An' what it's as weel ther sud be, er else what wad become o' o' them at izzant a mak ato?

MAK-NER-SHAP—Like t' auld woman sark 'at she cot oot wi' an axe; an' a lot mair things that's oot o' proportion varra badly. They're nowder mak ner shap.

MALT-CUM—Mawt-cum, sometimes co'ed cummins. Parson Harrison kent o' aboot it varra nar fower hundred year sen. Lissen: "They take it [barley] out, and laying it upon the clean floor on a round heap it resteth so until it be ready to shoot at the root end, which maltsters call combing. When it beginneth therefore to shoot in this manner they say it is come."

MANBODY—Ay! barn, but thoo hes grown sen Ah saw thi. Thoo's a manbody any minnit.

MAPPEN—This is yan ov oor cautious words. A young fellow wanted his sweetheart ta gie him a kiss, an' nowt seea nat'ral, an' she wadn't. "Mappen," he says, "ye will at Kirsmas?" "Whia," says she, "mappen Ah may than, but mappen Ah maint." A chap 'at can carry on t' gam wi' neea mair encouragement ner that desarves his reward.

MAINT—May not. Ah maint be at t' kirk if mi cauld's neea better.

MANTY-MEKKER—A dress-maker. Oor lasses 'al be smart this Easter Ah's warn'd. T' manty-mekker's bin workin' varra near neet an' day fur et meast of a fortneth.

MANNERLY—Generous; homely. She's a gay mannerly body wi' barns.

MANNERLY—Average, or more than average. We'd a gay mannerly crop o' taties.

MANNERLY—Respectable. What Ah've some mannerly clias fer t' kirk, an' t' market, an' sials, an' what does 't matter when yan's howken aboot bi yansel amang t' kye?

MANNERLY—Decently. Behave thisel a mack o' mannerly, when we've company hooiver.

MANNERLY—Tidy. Noo fadder, fassen yer waistcooat, an' liase yer shun, an' gah aboot mannerly, as a body sud. Git oot wi' thi, Ah izzant gaan by t' fauld yat, an' Ah's mannerly eniuf fer that Ah sud say.

MARCH-MALICE, MEADOW-SWEET—These is herbs fer badly fooak ; but Ah's neea doctor.

MARRA-FER-BRAN—Ther's six o' yan an' hauf a dozen o' t' udder i' this.

MARR'D, MAUNG'D—Petted ; spoilt.

MARROW—Equal ; match.

> Her maister I'se sartain I nivver seed,
> An' seldom her marrow for bottom an' speed.—*Bowness.*

MARSK—A field name, an' somebody 'll mappen gie us t' meanen on't, an' a lot mair o' them.

MAWK—Maggot. As fat as a mawk.

MAY-GESLIN—T' hauf-cousen tul a April-gowk. A gurt lad vance tiak me an' tweea er three mair aboot a mile, becos he said he knew ov a place whar they hed fielded a lot o' Queen's heeds in a cunderth. We varra nearly poo'd t' cunderth doon, an' than he said we war o' May geslins, an' he fleered, an' nicker'd an gurn'd becos he was seea clever an' could let a lot o' barns in. Ah nivver gah by that cunderth noo withoot thinken aboot it, an' Ah wonder what mak o' stegs them geslins hes turned oot.

MAD—Irritated. It maks mi mad ta see seck wiaste.

MAZICAN—A mafflin dunderheeded chap.

MAZED—Astounded. Seck seets yan saw, yan's fairly mazed an' wondered what next.

MASHELTUM—Meal for bread. A mixture of wheat, rye, and barley.

MACK-AWAY—Mak a job for the crooner; wilful waste; destruction—that's ta mak' away.

MADDLE, MADDLE-ABOOT—When things is gitten a bit mized i' yan's upper garrets.

MAKFLED, MAFFLIN, MAFFLE—These o' mean when yan gits muddled up, an' lost amang things. A lad 'at Ah used ta ken, at laiken time wad run intul a hoose an' shoot as lads deea: "Betty, Ah's hungry, will ye giv us a berry shag?" Betty was allus knitten, an' if she happen'd ta be coonten her loops she wad say, "Thoo nasty lal mafflin, what's thoo com here for, thoo's maffled me noo, an' Ah've lost me coont. Ah'll tak mi' stick ta thi back." But he maistly gat a berry shag fer o' that.

MAIN—T' main man at a spot is t' heed fellow; an' ther's main rooad; main drain; an' many a yan 'll say "What we've gitten t' main on t' in, er t' main on t' s' ta git in," an' seea on. Auld chaps 'at's bin a bit gam i' ther younger days tell us hoo a " cock main " was thowt on bi them.

MAIZLE, MAIZLEN, MAIZLED—Confuse. It's eniuf ta maizle yan o'tagidder. A simple-minded easy going body. A gurt maizlen. Confused. Thoo's maizled amang t'.

MAK-WEIGHT—A lal 'un thrown in ta pul t' doon.

MALLISON—A man that cruelly ill-uses a horse. A chap was leaden muck yah day, an' t' nag tiak t' steck, he miad neea mair ta deea, but went an' dipt t' shool in a troff, an' ivry time he hat that nag under t' belly a gurt sowen blister wad com up. An' auld chap 'at was watchen 'at dudn't like nags badly usen, says tull him, "Thoo's a mallison wi' a nag, an' thoo wadn't hev ta drive a cuddy o' mine."

MANNERS-AND-MAKS—When fooak hev a gay deal ta say an' nobbut varra lal time ta say t' in they'll use yan like this, "Sista we'd beef, an' mutton, an' ham, an' o' manners and maks o' good things browt in fer oor dinner."

MARROW—Noo Ah darsay that ye nacken mack o' fooak 'll at yance think aboot t' inside ov a bian, but Ah du't mean that. Ah mean if ye've a pair o' owt, an' hes lost yan, ye'll want t' marrow. An' if ye've yah nag, an' somebody else hes yan, an' ye've a job 'at taks a drawt, whia what ye'll marrow. An' ye o' know t' sayen t' marrow ta Bonny, which means a cruel bad body o' some mack, if he war t' marrow ta Auld Bonny at was gaan ta be t' King ower huz becos we leev'd in a garden nobbut, an' war nowt but shopkeepers. But we larn'd him, 'at dud we.

MASH—Brew. Put t' kettle on an' mash a sup o tea.

MAUNDER—Roam about in an endless aimless way. He's nowt ta deea but maunder aboot frae moornen ta neet.

MAUNDEREN—Talking in an incoherent manner. He was maunderen on aboot what he was worth, an' whar he hed brass oot; he's gian crack't.

MAUNGY—Spoilt; petted; pampered. A gurt maungy babby. That'll draw t' sooal ov many a gurt petted lad 'at's yewlen fer t' miun.

MEALY-MOOTH—Ah tell't ye yance afooar 'at we du't care fer fooak 'at's see soft spokken, an' wheem, an' eny body 'at's mealy-moothed's o' that sooart.

MECKINS—Gurt rough breckins, an' ye wadn't think hoo bonny they liuk when ye hevn't seen yan fer a while.

MEG-WI-MANY-TEEAS, MEG-MANY-LEGS—Milleped.

MEGGY—Weeds of the buttercup kind.

MELCH—Mild. A chap 'at went ta a pliace whar they mak whisky, an' they'd gien him a sup o' reg'lar stingo, said it went doon as melch as new milk. But it gave him a crobbacken gaan hiam, an' shakken i' t' car boddum, fer o' it was seea nice an' melch, an' good ta tak.

MELL—What dikers drive stiakes wi'. An' they give t' warst plewer 'at a plewin match—that taks t' mell.

MELDER—A lot, a heap. He sat doon ta seck a melder o' poddish as ye nivver saw, an' he sided t' lot.

MELDER—A pooakful o' haver that's gaan ta be grund.

MEAL-SEED—The fine inner skin which is found on haver. It is of this coating from which sowans are made and derive their nutritious properties.

MELL—Interferes. Ah'll warm thi canister if thoo mells wi' oor land. Ah niver dud mell wi' him, Ah mell wi' mi awn business.

MELL-SUPPER—Siam as kirn-supper.

MEMO—Ah tell't ye afooar aboot t' woman 'at wanted a pen'oth o' pussy booels—that's memo talkin', and ther's memo i' eaten, an' walken. It's a complaint amang young fooak, but they git ower it, an' happen they're neea warse for 't.

MERE—An auld word fer " mark "; land-mark an' seea on.

MEW—Mewen hay's yan o' t' warmest jobs 'at a lad can be put tull, but o' t' lads—an' lasses fer that matter—at Ah ken like 't.

MEAT-HIAL—In gurt far-larn'd biuks yan reads aboot men an' lasses vowing ta yan anudder 'at they're heart-whole. Noo this means stomach-whole, an' Ah's gaan ta put it

in, even if ye o' laff at it. Ah's i' gay good fettle thenk
ye, er ye o' meat-hial at your hoose ?

MEBBE—It may be; perhaps; if it should so happen. Mebbe
ye can len' me a shillin' er tweea. It may mebbe rain,
an' than what ? Mebbe if he was telt aboot it he wad see
it in anudder leet. Ther's a lot a ways o' usin a lal handy
word like mebbe.

MENSE—Manners. They'd a siaved biath ther meat an' ther
mense if they'd ass'd us ta hev a cup wi' them.

MENSE—Decent in appearance. Wesh thisel an' mak thisel
a mack o' mense.

MENSE—In good condition. Hoo er ye ? A mack o' mense.

MERRY-NEET—Oot o' date varra nar—an' a good job,
fer if they were merry neets they war varra oft sooary
moornens efter.

MENNEM—A minnow, an' caht they swirt aboot.

MENSEFUL—Mannerly.

MEAL-ARK—A kist whar meal an' floor's put.

MESSAN—To upset or interfere with things. What's thoo
messan wi' thi fadder razors for ?

MISAUNTER, MISHAUNTER—A mudded do, a mishap.

MILLER-CLOOT—A whisp o' streea ta stick in a wholl'd
pooak.

MIUN-LEET-FLIT—It's when we lap up oor traps at t'
dark an' whiatly slenk away oot t' rooad o' rents, an'
bits o' bills, er owt er anybody we've ta pay tull, we co'
that'n a miun-leet-flit.

MIG—Sump. T' sypins frae a middin.

MIZZLE—Fine rain; Scotch mist. It mizzles a bit but it
won't be mich rain.

MIZZLE—Disappear quietly. I thowt that lad was worken
in't garden, but hes mizzled.

MILKUS—Dairy.

MILL-POSTS—Legs as thick as mill posts.

MILT—A soft-bellied fish—herrin', fer instance.

MINT—A lot. We've a mint o' plums.

MINK-MIMP—An affected manner of talking.

MISCANTER—To fail or be disappointed in an undertaking.
It com off wi' a miscanter.

MIRE, MIRES—Low-lying boggy land—*e.g.*, Shap Mires.

MISFIT—One who turns out badly and does not make much
effort to succeed in life. They spent a pooer o' money ta
mak a man on him, but he turned oot a misfit an' it o'
was wasted.

MIGHTY—Ye'll hear t' lal 'uns say ta yan at wants ta cock
ower t' midden, "Thoo needn't mak thisel seea mighty
becos thoo's some new shun on."

MIFF—Whimper. Keep swat an' nivver say miff.

MINDS'TA—Ah'll hev nin o' thi sauce, minds'ta that noo. This is t' origin o' that famish classic, " Don't ye fergit it."

MIAL—As mich milk as a coo gies at yah milkin.

MIAL'S-MEAT—A's mich as a hungry body can side at yance. They're nivver tul a mial's-meat when yan drops in o' them at feeden time.

MICKLE—Many a little maks a mickle—a gay lot.

MIDDLEMER, MIDDLEMEST—Is that t' auldest lad er youngest? It's nowder, it's middlemer. T' middlemest o' t' lot.

MINDS—Reminds. That minds me ta ass ye ta come ta oor hoose ta yer tea.

MIN—Man. Ah'll tell thi what min, but it's gay cauld fer t' nooase end o' yan.

MIRL, MURL—Varra nar t' siam as Mosker.

MISMAVED—Disconcerted. He went tul t' doctor, an' he saw'd him a finger off, an' he was never a bit mismaved.

MITEY—Cheese 'at's full o' lal mawks.

MITR'D-AN'-MOULDR'D—Ye o' know what mitey cheese is like, an' owt 'at's mitr'd 's summat 'at's gian throo t' siam process wi' moths an' worms, whedder it's a chair leg er owt else 'at's sided away, an' gits mitr'd an' mouldr'd.

MOCK—To imitate in dersion. Mudder, oor Jack's mocken mi slowpen mi tea ; cloot his lugs for 't, will ye ?

MOME—Smooth spoken ; diffident ; still. As mome as a moose.

MONKEY—Mortgate. Ther's a monkey astride o' t' chimla.

MONKEY—What stians an' mortar gahs up t' stee in fer t' wo'ers. See Hawky.

MONEY-IN-IVRY-POCKET—Grows e' t' garden does this.

MOP—Mop it up. That's what t' mudders say when they want yan ta sup a pint pot o' salts an' seeny fer a bad cauld er a strained wrist. Mop it up, it'll deea thi good.

MOPE—A body's 'at's nut ower mich to deea, an' nivver gits 't diun..

MOPEN, MOPED—Mopen aboot like a steg i' sitten time. It means when ivry body else is thrang, an' neea time to bodder wi' ye ; an' moped's when a chap's sitten ower t' fire tell he's aboot silly.

MOUNTY-KITTY—A lad's gam: " Mounty kitty, mounty kitty, yan, tweea, three."

MOWD—Mould. Ah've put this yan in becos "mould" even is gaan oot o' fashion, an' earth's tian it's shop.

MOWDI-MAN, MOWDI-CATCHER—A chap 'at catches mowdiwarps, an' maks pooches an' purses oot' o' t' skins.

MOWDIWARP—Mole. As fat as a mowdiwarp.

MOIDER—A naggen barn 'at's allus bodderen yan wi' questions aboot wheea maks t' rain, and hoo t' sun's fassened up, an' wheea poos 't blinds doon o' t' sky when it's time ta be dark, 'll sometimes be tell't ta whisht er thoo'll moider me ta deeth.

MONKEY—Anudder niam fer dander; when a chap's monkey's up, keep oot ov his rooad.

MOOTER—Payment in kind for grinding. In maut er meal t' miller mun hev his mooter.

MOOT—Broach. Ah'll moot it tull him.

MOOT-HO'—Town Hall. At Appleby (at all events with the older generations), Moot-Ho is the term used for what the designation Town Hall, City, or Municipal Buildings means in modern parlance. And perhaps as we have so generally discarded "fooak" it is only fit that the place of the "fooak moot" should have a name in harmony with its functions.

MOP—T' cur dog.

MORTAL—Ah's mortal near chowk't wi' stoor an' muck.

MORTALLY—A thing Ah mortally hate is ta see fooak 'at's seea prood an' throssen up.

MOSKER, MOULDER—To crumble away through the action of weather, &c. It mosker'd away.

MOTHERS—Roots. Ah kent a chap 'at was a famish gurt mower, an' he gat a job o' mowen fer a auld fellow 'at was varra pertickler. T' first day 'at he was agiat, t' auld chap went ta see hoo he was gaan on. "By goy," he sez, " thoo's gaan wi' t' mudders, thoo'l deea fer yance.

MOTHER-WIT—Ther's nowt mich better ta fiase a rough world wi' ner a bit o' mudder-wit, 'at liuks at things at ther warst, un' maks t' best on 't withoot gitten soor, an' oot o' patience, an' laughs an' does as they deea at Culgaith.

MOTHER—Yeast.

MOTTY—T' hauld, when ye laik at ducky, tiggy, an' seea on.

MOUNGE—An idle habit o' body. Moungen aboot.

MOITHED—Tormented; teased.

> " Git oot wid thı Johnny, thoo's nowt bet a fash,
>   Thoo cums till thoo raises a desperate clash ;
>   Thoo cums ivvery neet just to put yan aboot,
>   Thoo moithes yan terrably, Johnny git oot."

Clash, *i.e.* gossip. "Desperate" and "terribly" illustrate a well-known feature of the dialect speakers of the Lake Country.

MONT—Must not. Ah wad liked te hev gone t'et hunt but ah mont es t' yowes is starten te lam.

MOTTLED—Spotted. A gay nice Herdwick tip, but rayder mottled et t' feeace en' t' legs.

MOPEMENT, MAAPMENT—Silly talk. What hed ye ta
yer dinner? Cauf-mutton pie boiled. Seck mopement
thoo does talk, ther's neea seck thing as cauf-mutton pie.
Whia than it was collop-fat.

MULLY-GRUBS—A complaint 'at bodders idle fooak a lot.

MUN-AH—Must or may I. Mun-Ah ride t' gallawa oot
ta-neet? Thoo munnat.

MUCK—Manishment. Matter 'at's oot o' t' spot.

MULL, MURL—Smo peat at t' boddum at t' stack. In t'
auld days peat mull was famishly thowt on ta put het on
t' pie pan lid. This wad biak t' crust an' t' body o' t' pie
wad be boilin' at t' siam time.

MULLOCK—A serious blunder. Thoo miad a mullock on 't
ta gang an' liver t' wrang bullocks, min.

MUN—The mouth.

MUMPS—Quinsey.

MUM—Varra whiat. What's wrang wi' thi, thoo sits as mum
as a moose.

MUD, MED—Might. It mud hev bin war as t' chap said
when t' nag ran away and brakt t' neck. He was thinken
aboot his awn, neea doot.

MUGGY—Soft, foggy day. Neea druft. It's a muggy day
en drys laal.

MUMMEL—Bad at chowin'. What's ta mummelin' aboot?
Is thi teeth gitten bad?

MUCK-HACK—A drag ta poo t' muck oot.

MUFATEES—Knitted cuffs. Grand is a pair o' mufatees fer
keepen yer shackles warm.

MUN—Must. Ah mun gah hiam.

MUNNET—Must not. Thoo munnet stop i' thi wet clias.

MURK-DRIFE—When t' air's as full o' snow as an egg's
full o' meat, an' t' winds driven an' whirlen 't aboot e' o'
directions at yance, that's it.

MULL'D-YAL—Varra near oot o' date. Yal an' eggs, an' a
lot mair kelderment mixed up, and tian het.

MUNT, MUHT, MURT—"Must not" i' nacken. Thoo murt
deea seea an' seea. Ther's white a lot o' shorthand i'
oor auld talk, these is amang t' lot.

MUNGY—A warm damp atmosphere 'at maks yan sweet if
yan stirs is said ta be mungy.

MURNEN, MIUNEN—When fooak's sair hodden wi' pain
they murn oot wi' 't.

MUSH—Sticks 'at hes o' mirled away, er taties an' turnips
'at boils ta slodder—they've o' gian ta mush.

MUTE—Nowder a cuddy ner a mule—atween t' tweea—that's
a mute, an' it gahs neea farder.

MUZZY—A dull low spirited manner. He wad muzzy aboot
fer days wi' hardly ivver a word fer t' cat.

MUZZYEN—Howken ower t' fire when yan sud be up an' aboot yan's wark. Sista thoo'll sit muzzeyen ower t' fire tell thoo'll be as grey as a loose.

NAB, NABBLE, NOBBLE—They o' mean yah thing—*i.e.*, a dishonest mack o' sharp dealin'. Yan mud co' 't stealin i' plain English.

NABB'D, NABBEN—To seize hold. Ah just nabb'd hauld on 't i' time. He war nabben peers.

NANNY—Aggy; Agnes.

NACKERS—Bits o' coo ribs 'at lads play wi'.

NACK, NACKEN—Fooak at's swallowed a dictionary, forbye a spellen biuk, an' a grammar, an' talk bi them, an' whar they're nut fine eniuf put a bit tul o' ther awn, that's nacken. Nack's like rotten sticks, is a varra common observation.

NAF—T' middle part ov a car trunnle.

NAG, NAGGEN, NAGLEN, NANGLY — Cross-grained, quarrelsome, camplin', grumlen, ways o' some fooak when they ca't hev o' ther awn way.

NAIG—A dull aching pain. Mi' teeth naig and wark.

NAILS—Owt 'at's hard. It's freezing like nails.

NAILT—Cheated. He bowt a stag at Brough Hill an' gat sowenly nailt wi' 't.

NAILED—Non-plussed. Aye, Ah sez, sez Ah, Ah can pay twenty shillin' ta t' pund, an' that nailed him, he couldn't come again.

NAM'LE—Bad at walken. Mi corns stang whel Ah can hardly nam'le an' gah ato'.

NANCY-PRETTY—London pride ; Love lies bleeding.

NANG-NAILS—Step-mudder jags. They grow aboot t' band o' t' nail, an' er varra sair.

NANTLE, NANTLIN'—Ta pettle aboot diun bits o' jobs at it hardly matters whedder they're diun er nut. Nantle aboot t' garden fer days.

NAR, NAR-HAND—It was nar-hand tierm-time. Near. Close-fisted. Varra nar an' clooase.

NAR-SIDE—Opposite ta far side i' nag driven.

NARK. NARKY, NARKT—It narks yan a bit ta see sec wark. He war a bit narky ower t' trottin' do. Some fooak er seea siun narkt. It means put out.

NATTER—Grumbling. Natter, natter, natter, thoo's nivver diun, natteren' wi' a nivver ceasen'.

NATTLIN—A chap 'at's nowt ta deea 'll varr oft mak up for 't wi' putten his hands in his pocket an' than start nappen wi' his clog heel on t' rooad. That's yah mak o' nattlin nobbut amang a lot.

NATTY—Neat. A natty lal bonnet abiun a natty lal fiase. What's nattier ?

NAY-SEWER, NAY, NEEA, NIN, NOWT, NEEABODY—
These is o' i' full go amang us an' come in handy i' ther
turn. Nay sewer, he's neea thowt fer nin o' huz, an' cares
lal fer nowt ner neeaboby but hissel, a gurt brossen
hacken.

NAY-SAY—Power of saying no to yansel. When he gits a
glass it's ower; he's neea nay-say wi' him when he
starts.

NAZZY-AN-SNAR—Yan o' them soor, snipe nooased mack
o' fooak at liuks as if they could bite stub heeds off if yan
spack owt sa oppenly tull them. What's ta sa nazzy an'
snar aboot thoo gurnen auld hemp?

NARY, GNARY—Stoot an' strang. He's a nary fellah.

NAKED-LADIES—Autumn Crocus.

NEB—Bill; toe; nose; a cap peak. Sis'ta thoo's thi' neb i'
iv'rybody's business.

NEBBUR, NEBBUREN, NEBBURLY—To be on good
terms; visiting; of a friendly disposition. They're varra
prood an' hee, an' nivver nebbur wi' nin o' huz. A chap
was builden a hoose, an' he gat ower nar t' rooad, an' hed
ta poo 't back, seea what he built it fower stooary hee,
acos, as he said, he'd good nebburs abiun-heed.

NEBBURS—Neighbours. Nebburs is nebburs when frens is
far away.

NECK—Presumption. Thoo hes a neck ta ass seck a question,
'at hes ta.

NECK-AN'-HEELS—Bodily. Ower Ah went, neck an' heels,
intul t' sump.

NEDDY-BEECHAM—Neddy was t' furst silly man, an' we're
o' co'ed efter him 'at's a bit daft.

NEED-FIRE—Thoo mun work fer need-fire. It gahs like
need-fire. The original need-fire was the preventive of
murrain, and obtained by friction, hence no doubt entailing
industry in getting or conveying it.

NEE'R-ACK—Nivver heed er nivver mind. Good advice at
times is this.

NEEST—Next. We'll gah hiam neest Sunday.

NEIGHBOUR-ROW—A circle around a fire. Come up inta
t' neighbour-row an' sit ye doon, tell t' mistress laits ye a
glass.

NESH—Delicate. Sitten' i' t' hoose maks yan nesh.

NETTLED—Aggravated. Ah war that nettled when he said
oor barns was mucky, 'at Ah dudn't know which end Ah
stiud on.

NEWDLED—A condition of insanity or approaching it.
He's drucken tell he's newdled.

NEWDLIN'—A body wi' not varra clear nooations. He's a
lal snafflin newdlin. He's allus newdlen aboot t' public
hoose efter some cheap yal.

NEWSY—Inquisitive. What's thoo shutten thi neb in for? Thoo's, as newsy as an auld woman, 'at ista.

NIFFY-NIFFY-NACK—Lads 'at's laken at choosin'; they shut ther neeves an' say, niffy-niffy-nack, which will ta tack?

NIPPY—Sharp, active. Lewk nippy wi' tha.

NICKT-ET-HEED—A silly body. What's ta gaan at seck a pelder for? Fooak 'll say thoo's a nick-et-heed, an' they'll nut be far wrang.

NICKEREN—Fooak at gurn an' snuffle an' fleer when ther's nowt ato to deea 't for, that's nickeren.

NICKLETY-NOWT—Yan o' t' marks on a teetolly ta laik at pins wi'.

NICKT-FER-T'-SIMPLES—This is t' siam as takken sturdy oot ov a sheep heed.

NIEF—The clenched fist. Ah up's wi' mi' nief an' Ah fetcht him sec a yark under t' lug wi' 't an' he shot up.

NING-NANG—An unreliable person. Tak nea nooatis o' t' lal ning-nang.

NINNY—Rayder slack set up i' t' upper garrat. Thoo gurt ninny, wheea wad deea like that?

NINNY-HAMMER—Thoo's warse ner a ninny-hammer, an' that's nine times warse ner a fiul.

NIPT—Pinched; starved looking.

NIPPY-AN-NAR—Close fisted. They war varra nippy an' nar i' some things, but O! man, a better boddy niver was ner them fer a mial.

NIUK—Ah'll stand mi' niuk. A card laiker's word.

NIUK-STOWER—Iron work of a cart to which loads are secured.

NIUKLED—A coo new cauved en i' full milk is top niukled.

NIGGLY—Varra bad ta git owt oot on in a bargin. He was as niggly ower a penny as many a yan is ower a pund.

NIGGLED—Chowed. T' rattans hes niggled his britches boddums. T' gully was blunt, but Ah've niggled a collop off t' shooder as weel's Ah cud.

NOBBUT—Wheeas that? It's nobbut me, let's in.

NOOASE-WHOLS—Some o' ye'll gurn an' sneer, aboot this'n. Ye've neea casion, it's as good as nose-thrills er eny seck mack.

NOOASE-ENDER—A feiten trick.

NOOASEN—Prying. Ah mak nowt o' fooak 'at's allus nooasen efter udder fooak's bits o' fam'ly affairs.

NIVVER-CEASIN'—At it wi' a nivver ceasin'. It means t' perpetual mooation i' grumblin' an' grunten.

NOBBY—T' barn nooase. Does it's laal nobby kittle, bless it?

NOCKLE—Lads 'll see 'at yan anudder nockles when they're laiken at marvels.

NOCKLETY-WHOL—Let's laik at nocklety-whol. It's dium wi' marvels.

NOD, NODDEN—A sleep on t' squab. Ah'll hev a nod whel t' nag baits. He's siun nodden is oor maister if he sits doon bi' t' warm fire.

NODDY—A simpleton. Thoo mun be a noddy ta lowse t' bit oot o' t' nag mooth.

NODDLE—Head; shake. Hod thi noddle whiat, will ta, whel Ah reed thi toppin. Thoo may noddle thi heed, but it's true.

NOGGIN—A lal pewter measure o' gin, er owt 'at t' short mack.

NOGGY-WIFE-THREED—

> He's shirts wi'oot buttons, an' as fer his britches,
> They'd drop off his back, but fer two or three stitches,
> O' noggy-wife-threed, just to keep hissel tidy,
> As Robbyson did fer hissel an' Man Friday.—*Bowness*.

NOINT, NOINTED, NOINTER—Ah'll noint thi thi jacket; he gat nointed fer his pains; thoo's a nointer. They o' mean a dressin doon, an' Ah've seen t' stoor flee when a chap's bin nointed wi' t' mayster.

NOP, NOPPIN—Snuff. Nop t' can'le. To remove the stems and husks off gooseberries, currants, &c. We're thrang noppin berries.

NOPE—An ugly blow. T' han'le flew off an' catcht him a nope on t' nooase.

NOPPY—Barn talk fer t' heed.

NORAL—To hit on the head with a stick. Ah'll noral thee thoo nasty paddock.

NOWL, NOWLEN—Ring. Wheea's t' bell nowlen fer.

NOWT-FIUT-OIL, NEAT-FIUT-OIL—Ah put these tweea acos o' t' auld word nowt an' neat fer cattle.

NOWT-AT-T-MACK—Dud thoo tell me that ye wanted a whelp oot o' oor bitch. Nowt-at-t'-mack, we've mair dogs ner we know what ta deea wi'.

NOWT—Nothing. Ah'll hev nowt ta deea wi' 't, seea noo than.

NOWT-SA—Not so. Ah's nowt-sa much ta crack on.

NOWDER—Neither. They're nowder o' them neea gurt catch.

NOGS—A lad gam like skittles.

NOWT-AT-DOW—A poor sample; i' bad fettle. He's nowt-at-dow. Ah've niver bin nowt-at-dow sen Ah gat wet through.

NUM, NUMSKULL—Clumsy. Ah's that num mi' fingers is o' thums. Thoo gurt numskull, liuk whar thoo's gaan.

OBBUT—Ebbut slightly varied in sound.

OD-DAL, Od-die-bon, Od-drat, Od-wuns, Ods-wunters, Ods-scurse, Ods-sang, Ods-whinge—They've neea mair meanen ta them, hezn't this lot, ner nowt. They're ta let bad temper oot withoot sweeren reet oot.

ODDMENT—One slightly defective in mental power.

O THEER—Fully equipped intellectually.

OOTNERS—Them 'at co's off anudder heaf.

ODDENLY, HODDENLY—Without intermission. Ah dar be bun' 'at them tweea's gian tagidder oddenly fer twenty year, an' afoor that, ivver sen they war barns, on an' off, they've bin thick.

ODDS-AN'-EBMS—This izzant a guide ta gamlin', seea ye git neea particulars; nobbut it is theer, an' ye know 't, main end on ye.

OD-WHITE-LET-ON-THEE—An expression of contempt. It co's in when ye're i' neea hurry wi' yer tongue, but varra thrang udderwas.

OFF-COM'D, OFF-COMER—A stranger in the sense of not having been born in the locality. Ther's nin seea mich good i' some o' ther off-comers.

OFT, OFTER, OFTEST—This is oor way o' sayen often.

OILIN—Thrashing. Sis'ta thoo's laiten an oilin an' thoo'll git yan if thoo gahs on.

OLD-MARE—A large rake used to gather up the stray ears of corn after harvest. Thoo mun gang an' trail t' auld mear ta-day.

ON—Employed. We're on at t' hay.

ON—Thick. Yon tweea's on, thoo can see that wi' hauf a ee.

ON-LIG—A burden; a weight cast upon others.

ON-STEAD—Same as on-set.

ON-SET—Hoose, an' o' t' beeldens aboot a farm.

ON AND OFF—With slight intermission. He leev'd at yah spot, on an' off, o' his life varra nar.

ON-AN'-EN'WAS—Continually. He's yan o' this mack; owt he tacks up he's at it on-ar.' en'was.

OOT-HOUSE—A shade, penthouse, or porch. The idea is something added, or outside of a recognised building or house.

OOT'ARD—Outward; evil-disposed. As oot'ard a fellow as ivver ye met.

OPPEN-BUTTERY—Free run of a public hoose or a larder. We'd oppen buttery; iv'ry thing ta gah at as we liked.

ORTS, ORTENS—Leavings of food. Ah'll nut eat thy orts. Also in form of Wots and Wottens.

OUT-BOWED, OUT-FACED, OUT-STOMACHED—Ye've oot-bowed me wi' meat. Ah's oot-fiased wi' wark. He was oot-stomach'd wi' t' thowts on 't.

OWER—Over; too; too much. In these ways " ower " has a wide range of usage.

OWERGAT—Overtook. They owergat huz afooar we gat
hiam.

OWER-BLOWN—T' sheep, peur things, knows aboot this
when t' elements is let lowse an' t' snow's drivven like
pooder, an' they cronk thersels doon in a lowned spot an'
happen some o' them nivver see dayleet again.

OWER-KESSEN—Dark; gloomy; cloudy. Gaan ta thunner
an' rain.

OWER-TUNE—Chorus. But chiefly used for some disagree-
able memory that is constantly referred to. T' ower-tune
wi' him allus was 'at he yance selt him a coo 'at hed pickt
t' cauf. T' ower-tune wi' some fooak is 'at they're gaan
ta t' poor hoose.

OWER-PLUSH—What's left. Ther'll nin be seea mich
owerplush o' fodder t' year, Ah's thinken.

OWDER—Eyether, eether, ayder, or owder. Ye can sooart
yan oot 'at suits.

OWT-SA—Any quantity. Hes ta owt sa mich bacca mair
ner thoo'll want.

OWN'D—Recognise. What ye've altered seea sair at Ah
wadn't own'd ye if ye hedn't spokkun.

OXEYE—The marguerite daisy in its wild state.

OXTERS—Arm-pits. It catches mi at t' oxters.

PADDOCK—Field name for a low-lying level field. A term
of reproach.

PADDOCK-RUD—A term of disgust.

PAFFALDIN—A chap wi' tweea cooats, as many waistcooats
an' sarks on, his legs lapt up wi' symes, an' a muffler
ower his lugs, wad say he'd a gay lot o' paffaldin' aboot
him ta keep t' cauld oot.

PAG-MAG—A heap o' kelderment. What's o' that pag-mag
thoo hes i' thi pocket.

PALAVER, PALAVEREN—Greasy, whakly talk. Let's hev
nin o' thi palaver.

PAN-CHAFTED—Having the lower jaw projecting beyond
the upper jaw.

PAPS—T' hannles ta lift a pooak wi'.

PARKIN—Oatmeal cake with treacle baked in it; *i.e.*, distinct
from treacle and bread.

PASH—A sudden and very heavy shower. It com doon in a
reg'lar pell; it fair pash'd doon.

PATTLE—A scraper for a plough.

PAW, PAWT—Move.—"Peer Jemmy I yance thowt that
wad nivver paw mair."—*Anderson.*

PAD, PADDED—A trod. Keep on t' pad wilta. Trodden
down by frequent usage. T' gerse was padded doon fair
shamful.

PAD—A saddle 'at's stuffed an' than twilted.

PARES—When t' weather changes aboot we say it mends and pares. I gits better an' war.

PAUGHTY, PAWKY—Interfering in an insolent manner pawkin' thi neb inta ivvrything, thoo pawky slenk.

PARLOUS, PARLISH—It's varra parlous gaan whar ther's seea mich smittle. Ah'll tell thi what, it's parlish fer yan to oppen yan's gob tell yan knows wheea yan's talken tull. Ther's danger at t' boddum o' these tweea.

PARLEY—To quarrel. They parleyed on a canny while aboot yah thing an' anudder.

PATE-HEED—Thoo's a gurt daft pate-heed ta punch a peur hen ta deeth fer skratten a bit o' muck up.

PALLY—To tread about in a shuffling way. Thoo'll pally aboot i' thi barfit feet tell thoo gits thi deeth o' cauld, an' than thoo'll know. Palleyen aboot in a pair o' auld carpet shun; what good er they i' t' wet.

PAT—Familiar. It's as pat on thi tongue as owt, is that silly tial.

PAT—A lal lock o' butter.

PADDACK—A fungus; a toadstool. That's neea mushroom, it's a paddack.

PANSH—Fluster. Ther's a chap gian doon t' rooad in a terrable pansh, whativer's up?

PARROCK—A small enclosure; it's an auld 'un.

PAWFRIE—A horse ta ride.

PADDY-WHACK—Ah gev yon beggar paddy-whack fer his sauce, an' he'll nut fergit it in a hurry, Ah's warn'd.

PACE-EGGS—The Easter dues of the parish clerk paid in eggs. This custom existed in the writer's time, and the parish clerk with his egg basket is one of his earliest impressions, associated somehow with mulled ale; perhaps because of the trick some pace-eggs had of going in that direction and furnishing youthful diversion in the freaks of a few drunken men.

PACE-EGGEN—Within the writer's memory it was a common custom for the children to go and beg eggs for the purpose of playing with them on Easter Monday. Laiten piase-eggs, or laiken at piase-eggs. Further back a few years, a custom existed of men going around to the houses acting a kind of mummery, in which "Lord Nelson," "Auld Tosspot," and "The Jolly Jack Tar," were the principal characters. The introductory doggerel ran after this fashion:

> "The first that comes in is Lord Nelson, you see,
> He's a bunch of blue ribbons tied round on his knee,
> A star on his breast, like silver it shines,
> Ah hope you'll remember it's piase eggin times."

Eggs were a secondary object in this piase-eggin which generally resulted in a good spree for those concerned.

PACKY—Cloody. It nobbut liuks packy i' t' sooth.

PAN—Fit in ; few ; settle down. Thoo pans to thi wark like a fiul. Tak thi cooat off an' pan tull.

PANG'D—Good measure, heaped up, and pressed down.

PEAT-BROTS—Whols i' t' grund whar t' sheep rub when ther backs kittle. T' sheep clipped weel, but t' woo's full o' gravel wi' rubbin i' t' brots.

PEAT-MULL—Peats an' turves were formerly used fer elden, an' at boddum o' t' stack wad be a lot o' smo 'at hed shirled doon. This was co'ed peet-mull.

PEDASTER—Walk. Yan o' Ant'ny Whiteheeds.

PEEDLIN—Looking near, as short sighted persons must.

" Any hofe-wit can tell by thy peedlin'
Thoo cannot crack mitch of thy seet."—*Bowness.*

PEENJ'D, PEENJY—An ill-natured disposition. Thoo's as peenj'd as thoo can be. Ah wadn't be seea peenjy fer nowt.

PEET-HEE—Neea hee'r ner t' thickness ov a peat.

PELTER—Hurry. Thoo needn't gang at seck a pelter.

PENNY-PIE, CAULD-PIE—A fo' on a shirl. Cauld-pie an' snow apples beleng ta t' day's o' yan's youth.

PETTLE—Dodging about at light little jobs. Thoo mun pettle aboot t' fauld an' deea tell we see hoo t' wedder turns.

PEYL' PEYLEN—Hard at wark. He wad peyl away frae moornen ta neet an' nivver let wit. Peylen intult, siam as t' chap wi' t' dumplin end.

PEE-WIT, TEA-FIT—" Pee-wit ! Pee-wit ! Ah lost mi nest an' Ah've rued it."

PEZEL'T—It means to jaggle, an' argy, an' heffle aboot. " We pezl't on a canny while." That's hoo young fooak git started ta cooart yan annudder. They du't gang thunneren up an' doon shooten at ivv'rybody they meet, " Is thoo willing ? " till they meet wi' yan at is. Neea, barn, that wadn't deea ; seea they pezel aboot a bit, an' git ta knaw bi slow degrees.

PEZZY, PEZZ-WILLY, PEZZ-WAP—T' least lal marvels ye can git. O' colours varra nar, but ower lal ta shut wi'.

PEANNOT—Peony.

PEATUS—Whar we stack t' peat.

PECKER—Pluck. Keep yer pecker up.

PEED—One eye blind.

PEEL, PEELENS—Pare ; parings.

PEFF—A nasty tickling cough. Peffen an' coughen o' neet till yan gits neea sleep.

PEGGY-WHITE-THROAT—A canny lal bird 'at lays a lock o' eggs i' t' nicest nest ye ivver saw.

PEEK, PEEKEN—Peepen aboot on t' sly through t' key whol an' sec.

PEH—An onomatopoetic. (Cush barn, but noo Ah'll tell ye what it's summat awful.) It maks yan peh trailen up a brant hill wi' a liad.

PELL—Siam as pash. It com a reg'lar pell.

PENNYSTONES—Stones in the form of quoits.

PENS—The roots of feathers in a fowl.

PENSY—Varra kysty an' tickle aboot t' mack o' tommy yan likes.

PERISHEN—Starving. They're aboot perishen wi' cauld.

PENTECOTE—A court or faced card. Ah hevn't a single pentecote, just my luck!

PEAKLING—Pinken aboot on t' sly. Ther was somebody peaklin' aboot oor hoose tudder neet efter dark.

PERT, PEEART—Lively; fierce. Ah thowt that sheep was gaan ta dee streyt off, but it's beginnen ta look pert again. It'll come oot, Ah's war'nt.

PEGGY RAW—A woman body 'at hackles hersel up in a queer way. Peggy used ta put fedders in her stockings an' among her hair.

PIKE—A prominent peak on the fells, e.g., Kidsty Pike, Dollywaggon Pike, Red Pike, Beacon Pike, Pike o' Stickle, Pike o' Whassa, an' seea on.

PICKEN-AN'-PYKEN—A body 'at's varra pensy aboot ther meat.

PICKEN—Pulling, gathering. We're thang picken berries.

PICKLE—Condition. He was i' seck a pickle a ye nivver saw i' yer born days.

PIE—Siam as Pickle.

PIGGIN—A tub wi' yah lag left langer fer a lug.

PIG-CHAFTED—T' opposite o' pan-chafted. Swine griun'd's anudder way o' putten 't.

PIKE-OFF—Be off. Thee pike-off aboot thi business.

PIKE—A gurt cock o' hay as big as a lal stack.

PIKE, PUKE—A pimple.

PIKE—Fell-pike is a stick wi' a pike on 't ta gah on t' fells wi'.

PILGARLAK——" An' t' silly pilgarlick, was Ah." That's sattl'd wi'.

PITHUL—Field-name. (Query, Pool).

PINED—Burnt. T' breed's pined i' t' yubben. Dried ta a cinder.

PINNER—Pinched. Thoo's pinner'd thisel fer stuff.

PISSIMIRE, PISSIMIRE-BED—The ant and ant-hill. Lig doon amang them, an' ye'll know what he mean'd 'at said, " Go to the ant, thoo sluggard."

PISSIMIRES—The flower of the dandelion afoor it turns intull a bessy-clock.

PITH, PIFF—Energy. He's neea pith in him fer nowt 'at's owt at dow.

PICK—Push. Pick me doon if thoo dar.

PICK, PICK'T-AT, PICKEN—Famish these is through being connected wi' that gurt host ov unfortunate men wheea are miserable o' ther days an' neets through fear o' t' hen.

PICK-STRAW—A very little smite. He didn't care a pick-streea fer any man Jack amang t' lot.

PICK'T-UP—To vomit. Pick't t' cauf. To calve prematurely. At one time it was regarded as wise to keep a goat to prevent it.

PILE—A blade. Ther izzant a pile o' gurse left.

PILE—A lot. He'd whyte a pile o' nooates.

PILLIVER—A pillow.

> "An' a pilliver tuck't inta t' sma' ov his back."

PINED—Starved; thin.

PINKS—The young smelt of salmon.

PIN-POTE—A teetolly, used about Kirsmas time ta gammle for pins. The four sides are marked respectively T, N, P, S, and these as they fall upwards upwards after being spun mean: T, tak yan away; N fer nicklety nowt; P, put yan doon; S, sweepen o' away. A common Christmas gift of the old days was a paper of pins.

PIPE-STOPPER, PIPE-STOPPLE——What lasses frizz ther toppins wi'. T' stem ov a clay pipe.

PIG-IN—Gah amang like a lot o' lal pigs. Ye mun pig-in as well as ye can.

PIRN—Dry o' t' natur oot.

PLAKE—Dirty aboot t' hands an' feet.

PLONCH—An' this signifies the action of wading or walking, or both at once. Plonchin' aboot up ta yan's knees i' snow broth, it's eniuf ta gie yan yan's deeth o' cauld.

PLATED—Rivetted. They used ta lee around t' May powl for a whet-stun formerly, an' yah chap sed 'at stars war nails wi' gold heeds, an' he hed helped ta put them in t' fleer o' hebben. T' next said he could swear that was true, for he plated them, an' they war theer yet, an' gat t' hone.

PLONK—A wallop. Ah gat a plonk wi' his neef.

PLONKER—A very large specimen. Noo that's a plonker. It mud as weel be put in ano—it's varra oft a gurt lee.

PLACK—Ah hevn't a plack. Hard-up.

PLODDY, PLADDY—A pattern in cloth of a checked design.

PLAGUE—Torment. Ye sud nivver plague a mad bull.

PLANTIN—Whar trees is set.

PLASH, PLASHEN—T' rain fair plashes again when it comes a gurt heavy shoor, an' a chap's plashen aboot in 't.

PLAT—Hay riaked up when it's a bit leet inta plats.

PLEEN, PLEENY, PLEENEN—Ailing. She's nobbut a bit pleeny. She pleens a gay deal aboot her heed. Fooak 'at's allus pleenen aboot udders izzant varra nice company fer neeabody.

PLETS—A chap's legs plets when t' maut gits intul them, an' they lap aboot anunder him.

PLEUF—Plough. T' auld soond's hard, but varra seldom, an' Ah put it in acos it's gaan oot o' date.

PLEW-SLED, PLEW-STILTS—A block of wood on which a plough is conveyed on the road. He'd a fiut on him like a plew-sled. T' stilts, ye o' know what these is, Ah's sewer.

PLOOAT—Pluck.

> " Tweea Martindale geese biath full o' fedder,
> Thee plooat tian an' Ah'll plooat tudder."

This was t' poetical advice of yah Peerith turney tull anudder aboot a client er tweea.

PLUG-AN'-FEATHER—A quarryman's tools for cutting up stones.

PLEANIE-PIET — Pleanie-piannet ; a tell-tale. Scholars know o' aboot it, it's yan o' ther awn.

PLUGGER--A plonker.

PLUM—Straight ; direct. Ah went ebbm reet plum tull it.

PLUM-DUFF—Plum puddin'.

POTE—Ye've seen nags an' dogs 'at cud fair mak van know they wanted seein tull wi' nowt else but ther front fiut. What's te poten en dewen ? What wants ta ?

POTTY—A common clay marvel. A lad's poorly hodden 'at's nowt on hand but potties.

POW-CAT—What ye'll ha' snifted yan likely at t' dyke boddum when ye've bin nutten.

POD, PODDEN—The "Cumberland genius does not lend itself to word descriptions." By goy ! Ah wish it dud. Ah wad tell ye what ther tweea means i' quick sticks, but happen ye know what podden aboot i' t' dark means as well as me, seea Ah widn't fash ye.

POKY—Impudent. Thoo's a poky lal beggar, 'at is ta, saucen thi elders tike that.

POOAK—Sack ; an' i' fun a purse.

POODER—A ter'ble hurry. He was gaan at a tremendous pooder.

POODER'D—Ah pooder'd off fer t' doctor as hard as Ah could liddur.

POOR—Ah tak a lal drop o' good whisky, a bit ov lemon, a few drops o' het water an' a bit o' sugar when Ah gang ta bed, an' Ah find oot 'at it does me a poor o' good ; an' it's seea nice ta tak ano'.

POPS AN' PAIRS—Card gam.

POSSETT—Boilt milk wi' yal in 't; good fer mowers. A
trick 'at bits o' babbies hez—peur lal things—when the've
bin filled ower full.

PORRINGER—A lal basin er a gurt cup fer t' barn poddish.

PODDISH—Ta say owt aboot yan's poddish wad be like
painten t' lily, seea we'll e'en let them gang unwept,
unhonoured, and unsung, as t' fellow sed.

POWDIKITE—Yan o' t' tribe whar six o' them walk sebben
abreast. They're that big i' ther awn een, an' brossen
wi' wit.

POCK-MARKED—The effect of smallpox.

PITTED—T' siam again; varra mucky, an' pitted in wi' it.

POT—T' kial pot. A gurt pan. Boilen t' pot—that's makken
broth.

POT-YERBS—Time, marjoram, an' owt else 'at maks good
broth.

POW, POWL—Head. Mind thi pow. Hair cutting. Can
ye powl mi?

POWFAGG'D—Tired out. Ah's aboot powfagg'd wi' t' heat
an yah thing an' anudder.

POD-NET, COW-NET—Ta howk fish oot wi', when t' beck's
fresh an' full, er ta drive them intul when o's whiat.

PODKITE—Yan 'at's full o' owt frae concait ta wind. A lal
brossen podkite, 'at is ta.

POLTER—Patch and mend.

POPE, POPEN—Popen aboot i' t' dark. It's when yan lifts
yan's feet varra carefully, an' sets them doon varra
cautiously, fer fear o' mishief.

POT-WHOL—Pliases whar t' grund's gien way an' left a
roond hollow spot.

POTTER, POTTER'D, POTTEREN—A dealer in pots.
Potter aboot diun owt. Potter'd ower a lot o' things 'at's
neea moment. Potteren aboot i' iv'rybody's rooad.

POSY—An auld'un fer flower, still i' go amang us.

POWSOWDY—Het yal, an' sops, an' barley, an' ket o' that
mack. Ah durt wonder at them co'en 't pow-sow, an'
fig-sew, fer some on 't wad sham a decent auld sew ta
sup 't.

POSH—Howken amang watter an' muck.

POSH—Soft; puddly. Oor land's in a fair posh sen t' rain
com, 'at is 't.

PODE—Be surety for; give assurance of; express confidence
in. Thoo'll mannish Ah'll pode ta. Ah'll pode it ye can
trust him wi' owt. He'll pay thi Ah'll pode him 'at
will he.

POBS, POBBIES—T' barn poddish.

PROGUE, PROUGEN—Wi' a bit o' ratchen these wad be
prowlen an' stealen.

PROVE—Whia noo an' hoo priuve ye, an' hoo er they o' at
hiam ? T' auld farrand way o' sayen, How d'ye do ?

PRICK-MEET—Summat nice an' natty, an' varra 'ticen ta
t' e'e. They've gone doon t' toon as smart as prick-meet.

PROD—Te poke; to attack with the end of a stick or other
weapon.

> " Screeam away, an' punch, an' pummle,
> I can stand thi savidge prods."—*Bowness.*

PRODDLE—To prick, to poke. Thee proddle him i' t' flank
wi' t' spur. Prod and proddle are like howk—varra handy
until you want to define them.

PROPT-UP—One who is in weak health. He's nobbut a
propt-up mak ov a body.

PREEZE—Wi' a bit o' preezen we gat him ta stop tull his
tea.

PREEAN — Trimming the feathers as a bird or a fowl.
Applied to persons who are given to an extreme regard
for personal appearance—preeanen hersel afoor t' glass.

PRIZE—To lift with a lever. Prize it off wi' a bar.

PROOD—Projecting. Thoo's set that stian ower prood.

PROSS, PROSS'D, PROSSEN—A large measure of self-
esteem, resulting in an officious, consequential, dictatorial,
or affected manner. Theer noo, is that nowt ? Ah thowt
somehoo it wad come, an' it hez. Ye o' know what a
banty's like on 't own midden; well, that's prossen ta
nowt.

PROOD-FLESH—When a woond heals fauce, an' a lot o'
angry flesh flusters up aroond it.

PURBLE, PURBLEN — To hoard up some insignificant
article for its associations. She wad purble up o' macks
e' things 'at was their lad's. Saving. What's t' good o'
purblen things up ?

PURLOCK—Mucky woo.

PUM-HEED—Knurr an' spell laikers 'll show ye yan.

PUMMER—Owt 'at's big.

PUNFAULD, PUNDER—T' lock-up fer vagrant kye, swine,
an' seea on.

PURCHASE—Fulcrum. Ah cud git neea purchase fer t'
giaveluk.

PURN—A twitch fer a nag snoot 'at won't stand ta be shod.

PURSEY—Broken-winded. Thoo hiuzes war ner a pursey
nag.

PUT—Oot Ah put; off Ah put as hard as mi legs wad gang.

PUT-ON—Clothed. He's nobbut varra badly put-on aboot t'
feet.

PUT-ON—Imposed upon. Thoo's bin put-on.

PUT, PUTTEN—A card gam. An' putten t' stian's a gam
wi' a gurt stian 'at's putten as far as possible.

PUT-UP—Whar ye quarter at market days—it's "mine inn," ye know that. Ah's sewer.

PUTTAN—A puttan bull. Thoo's as sulky as a puttan bull.

PUFF—Breath. Ah's oot o' puff, an' it's a varra parlous thing ta git oot o' stock on.

PUNCH—To kick when fighting. It izzant fair to punch when ye sud be feiten.

PUTTIN-ON—A famish Lakeland lad used ta say he nivver was browt up ato, he was trailed up bi t' hair o' t' heed. That's a puttin-on.

PUTTEN-DOON—Butter put into firkins. Fowls or meat salted or cured. Put to death, destroyed, as old horses, dogs, or cats are. What's come o' auld Bawty? He's bin putten-doon a canny while; he gat seea mucky.

PUKE—Ta pick up or vomit.

PYANNOT—See Peannot.

PYATT—A magpie, an' a saucy barn.

PYFLE—To steal. To eat in a heartless way. Pyklin an' pyflin, thoo gits nowt doon.

QUAVEREN—Sparring. Ah'll fell thi as stiff as a stian if thoo co's quaveren aboot me.

QUARTER—A portion of a boot upper.

QUARTER—The cow's udder is so spoken of in cases of ailment.

QUARTER—Portion of an animal—front and hind.

QUIT—Dismiss; discharge; remove. Whar's seea an' seea leeav noo? Nay they've quitted t' shop on him, an' neabody knows ner cares.

> "Auld Calcraff hed varra nar manidged te git thi',
> But we've seeav'd thy bacon this time, for we quit the."
>
> —*Bowness*

QUEEN'S-HEED—A postage stamp.

QUALITY—Bettermer fooak.

QUIFF—A dodge; a trick; a "wrinkle." Ah'll put thi up tull a quiff er tweea aboot neet lines if thoo'll gah wi' me some neet.

In our dialect, words with Q in them are subject to evasion, or that letter is substituted by some other. The following is an illustration:

Quarten, wharteren; quite, white; quart, whart; quiet, whiat; quaint, whent; quarry, wharl; quill, twill; quilt, twilt; quench, whench or slocken; quick, whick; quick-silver, whick-silver; quick-sand, whick-sand; Quaker, thwaker; quinsey, twinzy; quickning, whicknin; quick-set, whick-set; quicks, whicks; squirt, swirt or sooart. Some of these are no doubt merely humorous variations, but the bulk of them are permanent in the folk speech.

RACKUPS—A lad gam.

RASH—A skin eruption. Heat rash, nettle rash, an' seea on.

RASH—Hoo er ye? Oh, Ah's rash as can be.

RATTAN-TAIL—The marsh plant. A common wayside weed.

RACKLE—A nag er a man 'at's ower hee spirited ta be led er driven ta deea as they owt. They're a bit rackle, an' wi' a bit o' ratchin it wad be reckless.

RAFFLE—Lottery.

RAFFY—This is aboot t' first yan o' this lot Ah want ta skip, on' hev nowt ta deea wi' 't. It means when a chap's rakish' an' idle, an' drucken, an' mucky, an' rag'd, an' sleeps rough, when ivrybody's sooary aboot him but hissel, an' he nivver heeds nowt but slatchen aboot, an' shoolen as mich yal intul him as udders 'll pay for. When ye hear anybody sayen 'at seea an' seea's turned raffy liuk an' see if they laugh. Ah niver hev misel, an' Ah durt think you could find yan 'at wad see owt ta be pleased wi' aboot it.

RAFT—A lot; he browt seck a raft o' hay as yan seldom sees i' yah carful.

RAG, RAGGEN, RAG'D—Nut rags an' tatters, but temper. Ah gat mi rag oot when he wanted ta trot mi aboot oor turnips. He was raggen him aboot mowen. He was rag'd, Ah tell ye, when their lot lost t' cricket match.

RAKES, RAIKES—A bit of road between Shap and Penrith is so called, an' it gahs a lang way back inta lang sen happenings ta git at t' boddum on 't. In many parts the rough paths up a steep and stony mountain's side are so named.

RAMPS—Wild yerbs.

RAKE—Journey; thoo's as mich on as thoo can carry at yah rake.

RALLAK, RANT, RANDY—On t' spree. Ah'll say neea mair, they're theer an' ye mun mak t' best o' them.

RAM—Push. Ram it doon. Rank, rancid—this meet's ram as auld tip. Ram-full—as full as possible.

RAMPADJE—A gurt bustle an' hurry. Thoo needn't ta gang at it wi' seck a rampadje; thoo'll be tired afooar neet.

RAMPADJUS—With little heed. Du't be seea rampadjus.

RAMPEN—Aboot t' siam as reemen. We'd a rampen good dinner.

RANDED—Bacon 'at's i' equal parts—fat an' lean.

RANNEL, RANNELIN—This is a lad's trick.

RANNEL-BALK—Roof-tree. I' gurt auld chimlas ye can see 't gaan across, an' t' crane hiuk't intul't.

RANTY—Mad. Ah's ranty varra nar wi' t' tic.

RAP-AN'-RAIN—Lay hands on. He'd tak owt 'at he could rap-an'-rain.

RATCH—Stretch. He could ratch a bit, *i.e.*, nut tied ta t' truth. A romping mischievous youth. Thoo's a gurt ratch.

RATED—Begun to rot. Yon door's rated bi noo.

RATIPELT—Scold. She gave him seck a ratti-pelten fer stoppen oot.

RATTEN-TAILED—A nag tail wi' t' hair eaten off 't.

RAX—Tear; riven. Ah's rax'd wi' pain.

RAGAMUFFIN—Sairy things, it maks yan's heart wark ta think ther sud be any o' this mack, wi' ther barfit feet, an' ther shirts hinging throo t' whols o' ther "looped an' windowed raggedness."

RAPSCALLION—A bit ov a mishief.

RAMSHACKLE—Anything 'at's lowse, brokken doon, er badly graithed up.

REED—To remove the fat from the entrails of a pig; reeden t' puddins is proper, an' ye'll nooatice varra aft aboot that time fooak hes varra greazy chowls efter dinner; it's wi' crautins an' black puddins.

REEK—A whiff. We'll hev a reek o' bacca under a tree. Smoke. T' reek fo's doon; it'll rain, Ah's flait.

RECKLIN—In a litter of pigs the least favoured is so known, and it is traditional how it generally turns out the best.

REED-SHANK—A running weed.

REED—To straighten the hair with a lash comb. Reed thi hair. Reeden t' toppin o' yan means summat else gayly oft—it means a luggen do.

REED-STROKES—Apple eaters 'll tell ye o' aboot this.

REED-WATTER—Anudder fer t' coo-doctor.

REEMEN—Excellent. It's bin a reemen fine day fer t' job. That's what t' chap said when he'd bin beryen t' wife—a ciase-hardened brute, ye'll say.

RENDERED—Maken t' leaf inta same; render it doon.

RENSIL—To stir amongst; to make a great commotion. What's thoo rencillen efter, thoo's rencilled i' iv'ry niuk an' corner i' t' hoose.

REESTED—Rancid. "Reested fat bacon was miad inta pies." Restive; t' nag reested wi' him an' threw him off.

REETLE—Tidy, smooth, arrange. Let's reetle t' bed up a bit.

REACH-TEEA, REACH-TULL—A homely, hearty invitation, which those who have any knowledge of the hospitality of Lakeland will see nothing to "snew ther nooases up" at. "Noo reach teea, an' bide neea assin'." "Aye reach tull an' help yersel ta seck as is gaan."

RHYMES—Used in children's games for counting out by :—

> Ena, mena, mina, mo,
> Basa, linda, lina, lo,
> Earth, air, flower, flock,
> Arracken, parracken, we, wo, wus.

Another form is :—

> Ena, mena, mina, mo,
> Barcelina, lina, lo,
> Hocum, pocum, flower, flop,
> Air, wair, wis.

And another :—

> Eele, olee, amla, dam,
> Fill me pockets an' Ah'll gah hame,
> East, west, north, south,
> Gibbie, gabbie, thoo's oot.

RHYME-NER-REASON—Ther's nowder rhyme ner reason i' seck talk, an' Ah won't hev 't i' my hoose.

RHEUMATISM-PLANT—Angelica. (?)

RIAND, ROOANI—Riand wi' grey—that's when we're gitten on intul t' efterniun, an' the bloom is gone; on a varra auld authority they're honourable, but fer o' that Ah've seen chaps plooaten them oot an' deeun.

RIANS—Rians an' heed-rigs is aboot t' siam, wi' lal difference.

RIB—Ta set pans an' kettles on ta keep het.

RIPPAN—Hoo's ta gaan on? Oh! Ah's rippan, hoo's thoo?

RID T' SHOP—Turn out. Ah'll rid t' shop o' thee, young man.

RIDDANCE—Good riddance; good shut; good shuttance. They o' mean yah thing, i.e., it's weel ta be quit o' summat er somebody.

RIDDLE—A sieve for corn. Riddle 't oot.

RIDE AN' TIE—Noo yer capt. It's like this. Tweea chaps wi' nobbut yah nag set off on a journey, yan rides a few miles, an' tudder gahs efter him on his shanks. In a bit t' rider gits off, ties t' nag tul a yat, an' sets off walken. T' tudder comes up in a bit, gits on t' nag, an' hez his whet at ridin'. It's varra well they're o' honest, er ther wad be neea seck thing as ride an' tie.

RIFF-RAFF—Ther's nin o' this i' Lakeland worth niamen.

RIFT—Unmannerly eaters know o' aboot it. Riften full.

RIG—Corner. Sup off an' Ah'll stand mi rig. Also sharp treatment. He gat a gay good rig fer his craft.

RIG—Seea many times aboot wi' t' plew. Yan 'at can shear his awn rig 's a chap 'at can deea his awn dollop 'at owt.

RIG-AN'-FUR—A design in knitting to represent the furrows of a ploughed field.

RIGGEN—A hoose top. He's on t' riggen.

RIGGIN'-UP—Plewin stubble.

RIME—Hoar frost. Ther's a heavy rime on. This is an auld 'un, 'at is 't, an' was yance yan o' oor fadders gods.

RIPPER, RIPPEN—Bad talk. Rippen an' sweeren.

RIP-STICK—A rough person. He's a rip stick wi' shun.

RISE—T' rise o' t' sun ; t' rise o' t' miun ; t' rise o' t' broo ; a rise tian oot o' yan ; a rise wi' yan anudder aboot mowin'.

RISM—Give us a chow o' bacca, gaffer. Ah hevn't a rism.

RIAPS—Stack-riaps and rig-riaps. They're spun oot o' streea wi' a stack-riap-twiner, an' can be miad any length. For this reason I suspect we have Riapen, Riapment, &c.

RIB-GERSE—This is t' seeam as Ladies' Garters.

RIVETS—Bearded wheat.

RIG—Back-bone ; back.

RIGGS—A low ridge of hills. Common in person, place, and field names.

RING-WUZZEL, RING-OOZEL—Wild birds.

RIP AN' TEAR—A gurt blusterous fellow 'at maks a lot o' fuss an' noise.

ROKE—Scratch. That barn'll roke ivvry mortal thing i' t' hoose wi' that nail if tho'll let it, 'at will 't.

ROAR—Cry. What's ta snotteren en roaren at ?

ROVVEN—Torn. Ah've rovven mi shirt off mi back gaan through yon dyke.

ROYEN—Bad mack o' wark. Allus royen an drinken is t' way ta neea spot.

ROTE, ROTING, RUT—To be able to tell every one in a herd of sheep or cattle without counting ; also the pitiful bellowing of cattle at certain times of the day. He could tell bi rut if they war o' theer.

ROWK, ROWKY—Misty. It's a bit rowky, but it may turn off wi' heat.

ROBIN-RUN-I'-T'-DIKE — A plant 'at grows i' t' dike boddums wi' lal nops on 't.

ROGGLE—A shaking. Ah varra nar roggled ta deeth i' that shandry.

ROOARER—Ass t' veterinary what a rooarer is.

ROOFED—Owt 'at's riufed's summat 'at's unriufed, miastly wi' t' wind.

ROOK—This is nut a crow, but it's o' t' lot—clear oot o' t' hial rook o' ye.

ROOP—Hoarseness ; bronchitis. Ah've gitten t' roop.

ROOTEN—Howken aboot efter things 'at yan's nowt ta deea wi', siam as a swine 'at's neea jewel i' t' snoot.

ROPE, ROPEN, ROPEMENT—Frah'den an' riapen on aboot auld times ; seck a lot o' riapment aboot shutten as he dud tell us an' he can shut nin, nut he marry. It's aboot t' siam as white leein'.

ROPS—The inward parts of an animal are by older and unaffected persons spoken of as it's rops.

ROTTEN-EGG-RIFT—It's a nasty dwallow tiast, 'at co's intul a body's mooth when t' stomach's rang.

ROT-GUT—Poor yal. It's nowt but rot-gut.

ROUGH-CAST—A house which is plastered outside with lime mixed with gravel is rough-cast.

ROWK—Aboot t' siam as howk an' riut.

ROWELL—Put through a cauf neck. If Ah tell ye what for Ah'st be tellen ye mair ner I know. It's a bit o' hair put through a cauf skin just afoor t' front legs—that's a rooel.

ROWNTREE—Mountain ash. We mun be canny wi' this yan, er else, by gom!

RUN O' T' TEETH—A chap's grub 'at's quartered on t' community fer his wark. It's his heaf, his stint, er his whittle-gait; it's whar he runs amang, gits his dollop, er hes his tommy; he's yan 'at's fest oot wi' a lot, an' neea wonder i' them days 'at t' skiul maister was i' foreign spots a gay deal, when he'd neea hiam ov his awn an' nobbut t' run ov his teeth i' somebody's else.

RUMMELBUCK—A gurt rough lungious fellow at gahs on i' t' hoose warse ner a bull in a pot shop.

RUN—A spot fer things ta walk in. We'll mak a hen run at t' garth heed.

RUNNER—A young beck 'at runs frae a spring.

RUNNIBER—A runnen lowp er punch. He tiak a runnibur punch at him an' winded him wi' 't.

RUNNIN-T'-RIGS—A varra useful spak this fer fooak 'at likes ta deea a bit o' back bitin aboot t' nebburs, and run t' rigs o' them 'at's away.

RUNNIGIATE—A chap 'at runs away frae his spot. A runnigiate izzant much set bi whativer's t' cause o' his runnin.

RUBBIN-STAN—Ta wesh fleears wi' an' mack a white border roond t' hoose.

RUD—Red clay. · Used ta wesh fleears wi', doorsteps, an' winda boddums; mark sheep seea s yan tell yan frae anudder, an' tudder frae whicn.

RUDDLE—Marking sheep with rud.

RUD-LINE—Watch t' reet's when they're gaan ta saw a gurt tree; ye'll see them use t' rud-line.

RUD-STIAK—What t' coo band's fassen'd tul.

RUMMACK, RUMMACKEN—Aboot t' siam as rensil.

RUMP—To cut a nag tail stump off; to snag trees er shrubs.

RUMPESS—Durdrum, nurration, an' owt o' that mack. Thoo needn't kick up seck a rumpess.

RUMPLEMENT—Tak thi rumplement an' side it by fer wer allus in a scrow. It means mainly a lot o' woman gear, sowing, ironing, darning, an' seea on.

RUN-UP, WALK-UP—Shrunk as cloth or other fabrics shrink by contact with water. Mi stockings hez run up tell Aʜ can't git mi teeas intul them. It's a mack o' flannin 'at walks up wi sweet an' weshin.

RUNNER—A fast grown shoot.

RUNT—A lal stiff thickset chap 'at's as strang as a bull.

SALLY—It's nut Sarah this time, but a idle trailen walk. Ah just sallied oot wi' t' gun. We hed a sally oot fer a change.

SAND-LAMP—Melted fat an' sand put in a pot an' a lump o' rag stuck in fer a week, an' that's a sand lamp.

SANTER—It's nobbut an auld wife santer ; ther's nowt in 't at if ye kill a frosk it'll leeten.

SARK—Ye cannot tak t' sark off a niak't fellow's back.

SAW-COME—An' when it comes as we tell it ta deea, it maks a lot o' dust.

SAW-GIAT—What t' saw gahs through ta mak' saw-come.

SAG—Yield to a great weight or pressure. T' furm sag'd doon at middle.

SAIR, SAIREY—Sore sorrowful. A seat fer sair een. A chap was tellen me a breck aboot sairey. He leev'd in a gurt toon an' hedn't hed mich ta deea wi' t' auld twang fer years. An' yah neet as he was gaan hiam he com across a let o' gurt ho-bucks 'at was tryen ta flay a peur hauf-rockt woman ta jump intul a gurt sowen gutter fer t' sump at t' side o' t' rooad. " Scurse t' hearts on ye," he shoots as hard as he could, an' he in amang them. " Can't ye let a sairy crackt auld woman alian, noo." Yan er tweea gat a shot wi' his neef, and yan wi' his shoe neb whar it wad deea maist good, but they hook't it as if he was a maniac. He war capt hissel whar t' auld twang hed bin fielden fer many a year.

SAM-CAST—A ten times aboot rig. A haymaking term.

SAUVY—Of a pale, sickly complexion ; potatoes that are wattery an' sad.

SAVE-O—Where t' barns pence should gah.

SARRA—Serve ; suit. We co'ed at t' Ludge an' nowt wad sarra, but what we mud stop an' hev oor dinner wi' them. Sarra t' swine.

SACKLESS—A helpless kind ot innocent body that izzant exactly daft but nar akeen tult. Sackless as a sucken duck.

SAID—He wadn't be said ; refused.

SAME, SAMED—Lard. Samed's when yan's gitten a reet putten up wi' mowen er worken tell yan's sweltered̄ Ah's aboot samed.

SANDWATH—A crossing through a beck.

SAP, SAP-TREE, SAP-WHISTLE—Sycamore when t' leaf's comen on. Any lad 'll mak ye a sap whistle if he's a jackeylegs 'at 'll white.

SARR—With the skin off. Siam as sair.

SAUV'D—Taken in. He gat sauv'd wi' a wife.

SADDLE-LAPS-FLAPS—The part of the saddle that hangs by the horse's side. A chap was eaten panciaks, an' annudder saw him an' ran an' telt his mudder he was eaten saddle laps tull his brekfast. Full particulars i' Willy Wattle's mudder tial.

SAPSKULL, SAPHEED—Terms of admiration fer a gurt gowk 'at's nowder sense ner reason.

SAMMEL—Sand an' gravel.

SAIDER—Rather; preferable. I wad far saider ye wad hev nowt ta deea wid it. Yan wad far saider see yan's barns laid low ner iver think they wad come ta an end like thatn.

SAWNIES—Simple fooak.

SCAR—Whar t' fells is brokken oot, an' o' covered with gurt rough stians.

SCAW-HEED—A painful disease about the head and ears.

SCUFTER, SCUFTEREN—A sharp shower. It come a bit ov a scufter. We war scufteren aboot leadin' hay.

SCUMFISH, SCUMFISHEN, SCUMFISHT—Thoo wad scumfish yan wi' thi bacca reek. It's varra scumfishen an' clooase. Ah was near scumfish't as neea matter i' yon whol.

SCREES—Rough stoney ground on a mountain side, such as Red Screes, on the west side of Kirkstone.

SCRAFFLE — Struggle. He'll scraffle through someway, Ah'st warnd him.

SCRATTIN-ON—Only a poor puttin-on, and that obtained with difficulty. We're scrattin-on as weel as we can.

SCOW-BANK—(Oh! that the genius of word describing would co' here!) A laal barn 'at's laid on it's back throwing it's legs up, an' laiken wi' t' teeas—that's scow-bankin. A gurt barn 'at ligs aboot t' hay-mew, an' sleddurs aboot wi' his shun lowse, neea necklath on, an' doesn't care a brass farden which end gahs t' first seea lang as he's easy—he's a gurt idle scow-bank.

SCRAN—Food. Isn't this another frae t' Celtic fringe? Ah wadn't be capt.

SCAN'D—Ah scan'd ower mi shooder ta see if they war behint, an' theer they war.

SCONCE—A lang-settle wi' a wood back. T' dog mainly ligs under t' sconce.

SCOWP—What they liad floor an' meal wi'. T'way at sheep eat turnips, an' barns eat berry shags.

SCRATY; AULD-SCRAT—A hypothetical personage of whom children are afraid by the association of alarm and dread in the manner of those who use the word. By goy! but auld Scraty 'll git thi if thoo doesn't come in.

SCRIMPY—Near; mean; pinched.

SCRUFFLE, SCRUFFLER—A thing ta rive t' clots ta bits.

SCRUFFLE—A young feit.

SCUT—A rabbit tail, er what does fer a tail.

SCALE—Spread. Scale muck. Scale t' milk i' a' sair breest.

SCART—Scared. " Wey man ye needn't be see scart."

SCAWDER'D, SCAWLDER'D—Sore through overheating and friction of the clothing.

SCAB—A sair spot 'at's healed up, an' summat else 'at kittles.

SCABBIN—Breckin gurt whacken steeans.

SCABBY—A lad's gam.

SCAINJE—He scainjed aboot amang his relations tell he rais'd t' wind. Scainjen implies some effort for a bad end.

SCALLIONS—Green onions.

SCAWD—Tea or coffee. " Co' thi way in ta thi scawd."

SCOOT—A cauf disorder.

SCRAWMALLY—At weddin' days they throw het brass fer t' barns ta scramble for, an' this we co' a scrawmally. It's a gay auld trick, but it pleases t' barns fer o' that.

SCUFT O' T' NECK—A handy spot ta git hauld on when a chap's back's turn'd an' ye hev him ta throw oot fer good behaviour.

SCARIFIED—Frightened. Ah was fair scarified when t' nag ran away.

SCATTER'D—Thrown off.

"Oh! drat it," cried Frank, leeakin' back for a secont;
"She's scatter't, foi suer, dal, it's just as I reckon't."
—*Bowness.*

SCRAFFLE—Scramble. Hooivver Ah scraffled on ta t' auld nag back Ah nivver cud tell; we war biath seea flait. A rough bringing up is to scraffle up, and a toilsome, hopeless effort is said to be a scrafflin-on.

SCAR—A brokken bit o' pot.

SCRAP—Land 'at's hard an' dry wi' t' druft.

SCRUJE-UP—Sit closer together. Ye mun scruje up an' mak room.

SCAHLMY—When t' sky's varra ower kessen an' lowering.

SCAIFE—The wall raising a footpath from the road.

SCRAWMY—Straggly, leggy, as bushes, plants, &c., grow for want of pruning and attending to.

SCROFF—See Scruff.

SCROW—Confusion; we're o' in a scrow.

SCUFF—Lowse skin aboot t' back o' t' neck.

SEEVE—Rushes ta mak seeve hats an' whups on.

SEG—Hoof. A hand 'at's segged 's yan 'at's diun some wark.

SET—Lasses first this time. Ye du't know ? But ye deea. Settin hiam, whia it's first step i' cooarten. Aye fer sewer. Gaan wi' fooak by t' boggle spots, an' fower rooad ends, an' seck, that's settin.

SET, SETTIN'-OOT—Plant; a piece of a potato wi' an ee in 't. To bury; to allot. He set us seea mich ta deea an' we'd ta deea 't. Settin oot i' plewin an' that on, an' settin oot powls ye o know weel eniuf.

SEVEIN—The juniper. This evergreen grows in great abundance on some of the mountain sides in the Lake District. From the lake acres can be seen growing on Birkfell.

SEAL-SAUGH—Willow.

SEN—Since.

SET—Beaten. Ah's set wi' mi poddish fer a wonder.

SETTLE—A corner seat fer tweea er three.

SEW—Mig hole, sewer, muck midden.

SECK, SECK-AN-SECK-LIKE—Such.

SET—Stiffen. Let it set.

SET-ON—Ill-grown. He's set-on.

SET-AWAY—Put away.

SET-BY—Sided. We've set t' milk by.

SET-UP—Suffer. Thoo'l set-up for this. Delighted. Ah's set-up wi' 't.

SEYMIE, SAMMY—A chap 'at's sackless.

SEEING-GLASS, SEEMING-GLASS, LOOKING-GLASS —Mirror. Liuk at thissel i' t' liuken glass.

SET-ON—To incite a dog to attack. Thoo's setten 't on, thoo gurt daft gowk.

SET-AT—That's t' way ta tackle a hard darrack—set at it. It's t' way a bull er a dog meets ther enemies. It also explains how human animals do betimes, they set at it, an' keep at it. "What's Ah gaan ta deea to-moorn?" sez t' fellow tull hissel, "Ah's gaan ta poo ling, an' Ah'll feit tell than."

SET-TEEA—Bread to rise. Wait tell Ah've set teea.

SET-DOON—Rest while carrying a load. Set doon an' hod crack a bit.

SET-IN—When it's gaan ta rain fer reglar. It's set-in fer rain o roond.

SET-TO—A stand up feit. T' whick 'uns trail t' deed 'uns oo' o' t' rooad. That's t' way ta set-to.

SETTEN-ON—Got a job. He's nut setten-on fer allus. Poddish burnt ta t' pan boddum.

SETTEN-IN—A rag in a sair spot 'at's stuck tull.

SERENE—As usual. Hoo er ye o? Oh; we're o serene; er ye o amack o' middlin?

SEE-HAULD—Let's see-hauld o' that hammer; Ah'll skift it.

SEETER—Nay, Ah's capt noo! It was a cooat as auld as t' hills, but she stack tull 't it was as good as new, an' hed nowder crack ner seeter in 't. Mak' what ye can on 't.

SEETON—It was in a chap's neck ta keep him frae gaan wrang in his head.

SHALLY-WALLY—An undecided, lackadaisical, (Oh! man, oh! barn), easy gaan body. Shaff o' seck shally-wally fooak, sez Ah. Meaning-less talk. Shut up an' let's hev neea mair o' thi silly shally-wally rubbish.

SHAK-A-LOWSE-LEG—Unfettered (that's a grand 'un); free; Ah'll shak-a-lowse-leg a bit langer.

SHAKS—Hoo er ye? Neea gurt shaks.

SHARP-STRUCKEN—Yan 'at's handy wi' his feet. He's a sharp-strucken bliade.

SHARPS—Aye an' flats. But this is meal o' some mak to mak breed on.

SHEMMLE—Dud ye iver stand on a stian heap er a auld wo' when it shuttered? That's it.

SHIN—When lads is laiken at fiut-bo they'll shin yan anudder an' think nowt aboot it—Ah know!

SHOOTEN-OOT — When woman fooaks badly, amang t' streea.

SHAFF—Shaff o' thi an' thi nonsense. It's a good word is shaff fer gitton shot o' rubbish.

SHEEL—Under cover. Ther's neea pliace ta sheel in fer t peur kye. Sheel thi e'e frae t' sun wi' thi hat flype.

SHEP, SHEPSTER—Starling.

SHEVEL, SHEVELEN—When a chap's hauf drunk an caperen aboot wi' his feet an' ye cant't tell tull a yard whar they'll bit when he puts them doon. Shevelen aboot; sit thi doon.

SHOT—A drink bill. Ah paid me shot an' oot Ah pot. Ah wonder if this is what they co' pigs shots for

SHOT—T' pig jobber 'll give full particulars what a shot pig is. Ah can tell ye 'at it's wick.

SHAL—Divide. Shal it oot equal amang us.

SHANK'S MEAR—Walken. We're gaan o' shank's mear.

SHANKS—Legs. His shanks er neea thicker ner a thyvil.

SHAP-GALLOP—Git somebody bi' t' scuft o' t' neck wi' yah hand an' owt 'at's lowse wi' t' tudder an' off wi' him, if he's a lal 'un he'll gang happen.

SHEELEN—Shelling peas or beans.

SHEELENS—The husky part of wheat, &c.

SHELL WUM'LE—An auld-fashioned wum'le.

SHOO—When ye've ta drive t' shop o' t' ducks an' hens an' things.

SHOODER, SHOODER-OOT—Aye an' cauld shooder ano. A chap 'at izzant wanted gits t' shooder, an' if he's awk'ard 'll git shooder'd oot.

SHOODER-BUND—Cauld shooder'd; idle.

SHOOLEN, SHAWMEN—They're aboot as yan. A shambling gait.

SHOCKLESS—When lads is laiken at marvels an' yan gits up afooar t' tudder gits three—he's won him shockless.

SHOT-O'-GREASE—Nags hes 't wi' nut workin' an' stannen ower mich o' ther feet.

SHOT-O'-ICE—Frae t' skiul yat ta t' turn at t' niuk's o' yah shot o'-ice, an' slape as an eel tail.

SHOON, SHUN—Shoes. Mi Sunday shun on.

SHORT-CAKE—Nice lal ciaks fer krissenens, an' seck doos as them.

SHACK-BAGS—A shack-bags kind ov a chap's yan 'at's nin seea particular, he'll sleddur aboot any fashion, deea just as he's a mind, an' izzant up ta mich at nowt.

SHUTTERED—Com doon wi' a pash.

SHACK-WHOL—A pot whol. A spot i' t' grund whar t' foundation's gone an' left a roond dent er whol.

SHARP—O theer in the way o' brains.

SHIN—To trump at cards.

SHIMM—How weeds out amongst plants.

SHOG—A careless easy gait. He was shoggen away ta t' market on t' auld mear.

SHOOP-CHOOP—The seed pod of the rose.

SHROGGS—Rough, woody, stumpy, brushy land.

SHUPPOM, SHIPPON—Coo byre.

SHUT—A relaxed condition of the bowels of calves. That cauf hes t' shut an' ye mun war oot they've neea manners.

SHILLIES—A bed of small stones on a mountain side. Ah gat in ta a bed of shillies on t' fell tudder day when Ah was amang t' sheep, an' Ah couldn't git away ato.

SHOOL—A large spade used for conveying the dung out of stables, cowsheds, and so on.

SHOOLEN—The act of lifting with the shool, or spade. Ah'll tell ye a breck aboot shoolen. Yah day a chap was threshen, an' t' hens an' cocks liukt in as they went by, an' peckt a bit up. In a bit tweea or three auld ducks waddled in, an' they went ta wark, but, sez t' chap, "That widn't deea, peck as mich as ye like, but neea shoolen', er oot ye gah."

SHIVER—Loose stones that get detached from the "screes."

SHIVEREENS—Very small pieces. Theer noo! That's oor best cheeny tea-pot 'at was mi mudder's, an' thoo's let it fo' an' brokken 't ta shivereens.

SHALLAK, SHALLAKEN—A shawmen, shoolen, snafflen way at fooak gits intul 'at's boorn tired, an' nivver hed time ta rest thersels reet.

SHALLOCK—Fadder, cut us a shallock o' fat. Hem!

SHANDRY—A cross-bred cart, wi' springs.

SHINDY—A row amang a lot whar they mak a gurt durdrum.

SHANGLED—Tie a kettle tul a dog tail, an' it'll be shangled. An' durt let t' dog maister see ye, er ye may be.

SHELL-TOD—Noo ye horse cowpers, this is yan o' yours. A shell-tod tiuth is neea use as a age guide, is 't?

SHIRL—Slide. Ther's a grand shirl on 't pond.

SHIVE—A slice of bread. To cut a neat swathe.

SHANK'S-GALLIWAY—On foot. Hoo hev ye come? On shank's galliway.

SHINNY—A lad gam.

SHUTTLE-MOOTHED—A deformed sheep's jaw.

SHOOLEN—A way o' gitten some cheap yal is shoolen efter 't.

SIND—A lick an' a promise i' t' weshen line. Ah'll just sind mi' fias. A drink after taking solid food. Breed an' cheese an' a drop o' yal ta sind it doon.

SIAL-CO'ER—An auctioneer.

SIBBY—A funny, queer auld woman, like a witch mudder.

SIGHT—A ter'ble quantity o' owt, varra nar. Ther's a sight o' fooak varra thrang wi' t' hay o' up an' doon.

SIDE—Put away; tidy up. Side t' pots by an' git weshed up, lasses.

SIDELANS—Alongside (hem!) It means neighbourhood as well. They lived sidelans.

SIGNED—A cow stopped milking when near her time for calving.

SIKE—A muffled sob when t' barn's bin heart brossen, an's gitten ower 't a sike 'll come.

SISS—He siss'd dog at me—egg'd it on.

SIDATION—We'd a sidation on; sidin' up.

SIDE, SIDER—What side div ye cum frae? Ah's a fell-sider.

SIMMUNS—Set. A chap used ta gah aboot menden pots, cheeny, an' seck like. He pot a woman a teapot spoot on an' charged a gay bit fer diun it, an' he telt her nut ta touch it fer hauf a day as it wadn't hae simmuns'd afooar than. It izzant simmuns'd yut an' nivver will.

SIDLE, SIZLE—To edge out of a company that is not acceptable. Jack sidled off when they began o' plagen him. We sizl'd aboot tell train time.

SISTA, SITHA—Shorthand for see'st thou? see'th thou?

SIUF—A nasty wet swangy sumpy spot like a dike gutter.

SIZELAN—Walking leisurely around. We war sizelan aboot tell t' dinner was reddy.

SIZZLE—An onomatopoetic. When t' meet's i' t' yubben an' it begins ta sizzle we know 'at we shan't be lang afoor we hev some.

SIT-UP—Suffer. Thoo'll sit-up fer that efter a bit. This 'll be t' origin o' that famish classic "Sit-up an' yewl."

SIDE—Temper; disposition. He was t' reet side oot, seea we gat on famishly. He's nin a bad sooart, is t' auld chap nut; he's what ye may say t' warst side oot, ther's neea willy lilly whakly wark wi' him, nobbut he's a bit soor an' rough.

SITTEN-UP—(Be whiat theer, ye cooarters.) It means keepen company, gangen tagidder, folloen efter, an' seea on, but sitten-up's yan at t' fardest stages o' that ailment 'at iv'ry son o' Adam—an' dowter ano' fer that matter— gits a smatch on at some turn. He'd bin sitten his heart's desire up fer years an' nivver hardly spokken mair ner yance, an' that was ta t' effect at " Honey was sweet, by gom ! " At last he gat it oot, an' ass'd her aboot putten t' assins in. " Thoo mun put them in when honey gahs sour fer me," she sez, an' ther was neea mair sitten-up wi' them tweea.

SISSUP, SISSUPEN—A sissup at t' side o' t. heed. He gat a good sissupen fer putten his neb in. Theer, they're fully explained.

SILLY—Weak and low. Ah's bad i' mi' heed, an' Ah's as silly as a gius if Ah stir.

SIDE-SHANGLED—A horse wi' a fooar leg fassened tul a hinder 'un to hinder it frae roamen ower far away.

SINGEN-HONEY—Melted cream, er butter an' groats biakt on a hot shovel.

SINK-MEW—A hay-mew in a cellar.

SIT—Get equal with. Noo if thoo can sit t' auld horse brecker thoos nobbut anudder ta sit.

SKAYMERIL—A rough lowse bianed body 'ats nin ower nice aboot nowt. Bide tha whial thoo gurt silly skaymeril.

SKILVINS—Shelving for a cart.

SKIUM—Skim. Skium t' fat off wi' yer fingger.

SKON—Barley skons. Skons is nice sweet ciaks.

SKON, SKON'D, SKUN, SKUN'D—To jerk or jet anything in a temper. Ah ass'd fer some mair breed an' she skon'd t' liaf at my heed.

SKOP—A smart blow. Ah'll skop thi thi lug.

SKOPERIL—A young squirrel. An uneasy boy. Thoo young skoperil.

SKUG, SNOODDLE, SNUDGE—To nestle in snugly for warmth.

SKIAL-BOOARD—The division between the stalls of a stable.

SKEW, SKEW-WABBLE—Out of a straight line. A bridge at a turn is a skew-bridge. Skew-wabble is when a load' is out of its position and in a shaky condition at that.

SKIRL, SKIRLEN—To scream with fright. T' barn fair skirl'd again.

SKAR—Scowling. Thoo needn't to liuk see skar at yan.

SKARN—This is an auld 'un, deed is 't. At yah time coo skarn was burnt asteed o' cooal.

SKOGGERS—Wheea wad hae thowt 'at oor skoggers wad iver hae been nooaticed. Ye know they're auld stocking legs, tied ower t' clog tops ta keep t' snow oot. An' rare an' useful they er.

SKRIKE, SKRIKEN—Shriek in passion. What's ta skriken aboot ? Ah'll gie thi summat ta skrike for.

SKELLY—Field name.

SKELLY—A chub.

SKELL—Keck t' cart up an' throw t' stuff oot.

SKEN—A laalbit squint.

SKIFT—Remove. Ah'll tak thee ta skift young fellow mi lad if thoo shuts any o' thi sauce here.

SKIP-JACK—A silly bouncing body 'at thinks he's a bit clever.

SKYANDER—Mak them flee i' o' directions. T' lads was at oor pez-rig, an' thoo sud hae seen me mack them skyander when t' auld dog an' me gat i' t' field.

SKIP—A beehive is a skip, an' ther's taty skips, an' coorn skips, they're a bettermer mack o' swills, that's o.

SKELP—Aye fer sewer. That's it, wi' a rod ano ; but Ah was thinkin' aboot a chap 'at was gaan at seck a skelp ta catch a train.

SKITTER, SKITTEREN—Aboot fog time o' t' year yan sees a lot on 't. A laal skitteren good-fer-nowt, is a chap 'at doesn't sattle doon seea weel ta wark.

SKOBBY, SKOBBY-NEST—A laal bird 'at builds t' bonniest nest ye ivver saw.

SKROKE, SKROTCH, SKROTCHEN—If ye tak' a stian pencil an' set it ebm up on a end, an' draw it doon it'll skroke ; an' if it doesn't edge yer teeth Ah'll say neea mair.

SLADDER, SLADDEREN—Spill ; make a dirty wet mess. Mind thoo doesn't sladder thisel wi' that milk. Thoo's sladderen o doon thi wiastcooat.

SLEDDUR, SLEDDUREN—Mair compliments fer t' peur idle bodies 'at's ower idle ta lift ther feet er liase their shun.

SLURR, SLIDDUR, SLIDDEREN—Let's slidder doon t' stair rails ; he was slidderen doon a stee. A lad'll shirl, owder on his feet, his back, er his belly—slidderen's tweea last.

SLONK, SLONKEN—A gurt idle slonk. Slonken aboot frae yah spot tul anudder. Particulars on application.

SLONY—Ye know them slurry, sleezy, slape-tongued sneerers 'at wipes in wi' a back handed compliment, seea wheem and whiat like ; that's them. Slony.

SLAB—A slate table for a dairy. A rough plank taken from the outside of a log.

SLATTERY—Wet. We're hevin some slattery wedder aboot noo, by gom.

SLAYSTER, SLAYSTEREN—He dud slayster him aboot his craft. An unanswerable rebuke. Ah gat a slaysteren wi' puddle an' muck.

SLYPE—To get away unperceived. Thoo mun slype oot when Ah whissle er throw a bit o' muck at t' winda if ther's nin o' them watchen.

SLACK—Lowse; hollow; slack set up. Lanslack? A slack back cooat.

SLANG, SLANG'D—Abusive language. Let's hev neea slang. He slang'd me rarely, a saucy good fer nowt 'at is he.

SLAPPY—It's rayder slappy soort o' wedder this. Wet.

SLATCH, SLATCHEN—What again! A gurt hungry lad 'at's allus efter summat ta eat. A dog 'at's far ower many hiams an' hes ta snake a bit whar it can; chaps 'at gahs strippin' fooaks peer trees; an' tweea er three mair things, too numerous to mention, as t' sial-co'ers says.

SLICK—Polish. Watch t' shoemaker.

SLOCKEN, SLECKEN, SLECK—To quench the thirst. T' blacksmith said he'd a spark in his throoat 'at niver wad be slockened. Lime-slecken is annudder matter o' t' siam soort.

SLOP—Jacket.

SLOPS—Britches legs.

SLOWP—To defraud and run away.

SLOWP, SLOWPEN—When unmannerly fooak sup tea in a hurry they mak a gurt splutteren noise wi' iv'ry lap—they slowp it up. Slowp thi poddish inta thi kedge an' off thoo gangs ta bed.

SLURRY, SLUDGE—Thick puddle.

SLUFF—A berry skin.

SLUFFED—Disheartened. He was heart sluffed aboot her.

SLUFFENED—T' siam again.

SLODDUR—Wad ye tell o' me if Ah skipt this yan? Ah wad like. Ye know what it is—tiad spawn; mushed turnips, an' owt else 'at's pulpy an' slape.

SLASHY—Wet sloppy wedder. We've hed it gaily slashy noo fer a canny while.

SLATTER—Spill.

SLEEKY—Sly. Yan o' t' whiat, still-moothed 'uns, 'at sez nowt but taks o in.

SLYPE—To pare. It's far ower big fer t' whol; thoo mun slype a shive off 't.

SLYVE—To interject an offensive remark. Slyve 't in 'at thoo nivver hed t' scab min.

SLAP—O at a slap. He slap't gurt lumps off. Went doon wi' a slap. Than ther's what t' barns git fer good conduct.

SLAPE, SLAPE-TAIL, SLAPE-HEELS—A shirl 'at's slape 's o 'at Ah know on 'at's better for 't. Owt else 'at's slape, slape-tailed, er hes a pair o' slape heels, would be better fer sharp'nin'.

SAVERY-DUCKS—Ducks wi' veils on—meead o' pork, &c.

SLIATED, SLIATE-OFF—Noo ye ladies. When ye see yan wi' her petticooat boddum a bit below her frock, what is 't? She's sliated. Yan 'at hes a screw lowse, what's that? A sliat off.

SLING—Depart. Ah've a lang way ta gang, seea Ah'll sling me hook. Aye, whia, but ye'll siun sling ower hiam.

SLENGK, SLENGKEN, SLENGKT—A gurt hungry slengk; slengken aboot efter nowt at dow; he's slengkt hissel off ta bed withoot weshen. This is yan o' that gurt host 'at's its own definition.

SLEM—Slender. He's grown verra slem. Wark 'at's dium slem izzant o' mich account, ner a slem customer.

SLOMMOCK, SLOMMOCKEN, SLOMMOCKY—These is terms of respect fer an idle, shufflen, mucky taistrel. Ah'll say neea mair.

SLOTCH, SLOTCHEN—A gurt drucken slotch; slotchen o t' yal 'at he can lig hands on.

SLOWDY—Sloven. A gurt slowdy.

S-LINK—Yan o' t' usefullest things yan can carry aboot fer mendin' up wi.'

SLIPPY—Handy, alert, quick. Liuk slippy an' du't santer on t' rooad.

SLYPE—A nasty slur, but put that nicely like a pill in a plum.

SLEM—A lad trick at marvels ta get ta t' ring an' keep theer, wi' a bit o' dodging.

SMACK—Ah've a queer smack i' mi mooth. Taste.

SMO' DRINK—Teetotallers' yal, treacle Jacky, an' honey botchard.

SMUSH—Ye've seen a chap wi' a pair o' jiken shun on, a white waistcoat, an' a cutaway cooat, an' a siapt hat—he's smush.

SMITE—Particle. Ah've eaten up iv'ry smite.

SMIT—A sheep mark ta ken 't bi.

SMUT—A complaint 'at bodders wheat.

SMITTLE—Infectious. T' barns hes t' King cough, an' they say it's smittle.

SMITTLE—Likely. As smittle a spot fer an auld hare an yan'll come across.

SMOCK—Smooth. Ah mack nowt o' fooak 'at's seea smock-spokken an' whakly.

SMOOR—Ye've seen young lads an' lasses i' t' hay field coveren yan anudder ower wi' hay, an' i' t' dark whiat neets when ghosts, an' barguests, an' seck like flaysome things er oot, t' barns git under t' blankets tell they're nearly scumfisht. We co' that smooren. An' gurt rough haniels o' lads hes a gam; they git yan doon, anudder lot atop o' him, an' they shoot "Merry, merry muck heap, pund o' mair weight," tell they smoor t' boddum 'un.

SMOCK-FACED—Beardless. She's wedded a bit ov a smock-fiased lad.

SMOOT—A whol whar t' sheep gah through. Owt else? Aye, hares rabbits, geese, likewise ducks an' hens, an' sometimes tweea legged 'uns 'll smoot through a whol if it's easier ner climmin.

SMUDJEN—Gurnen, nickeren, flyeren, snirten an' whinneyen. Deea o these low doon an' ye'll know what smudjen an' laughen is.

SNOTTER—Ta blodder an' rooar a gay bit ower nowt.

SNARLIN—Biting bitter blasts o' wind.

SNECK—T' auld-fashioned door latch.

SNIFTER—Cry. What's ta snifteren aboot.

SNIFFER—A slight shower.

SNAG—To lop off. An auld chap 'at Ah used ta ken went ta snag some grains off, an' yan was a thick 'un, see what he wad tak t' saw tul 't. He gat on astride o' t' end he was sawen, an' when he gat through com doon wi' 't, an' let in a beck. He didn't like ta hear aboot it efter.

SNARL—What hares hang in ; snock-snarl is a knot 'at cannot be lowsed. T' parson's is t' boys fer that mack o' wark ; they'll tie a snarl for ye, seea nice an' wheem, but it's a capper ta lowse.

SNAGGEN—Ye've seen a chap loppen turnip tops an' riuts off wi' a gully—that's it ; snaggen turnips.

SNAPE—Snub ; chastise.

SNIRPED—Scorched, dried up. O's gahn ta be snirped up i' t' pasters if this drufty wind gahs on mich langer.

SNAPPAN—A curt manner of talking. What's ta snappen aboot. Snappan, thoo'l snap yan's heed off.

SNIZEN, SNIZELER—A biting wind. Noo, it's a snizen mack ov a day. Aye, it's a snizeler.

SNUB, SNUBB'D—Chastise. Thoo'll git thisel snubb'd fer thi impidence.

SNOD—Smooth. Thoo's thi hair varra snod.

SNUFFLE—To breathe heavily through the nose.

SNOOT-BANDS—The iron plate on a clog neb. Mi skirt catch't i' t' snootband o' mi clog, an' doon Ah com bulnecks.

SNAPS—Hard baked gingerbread.

SNIFTER—An unmannerly sneering way.

SNIG—Drag. Snig it doon.

SNIG—An eel. Ah catcht a snig.

SNIRTLE, SNIFTER, SNICKER, SNIRT—Gurnen an' laughen when ther's nowt ta laugh at an' they hev ta mack 't.

SNAFFLIN—Wayses me ! What again ! A lal drucken snafflin thing 'at is he.

SNEVIL, SNEVIL-SHELL—Snail.

SNEWSLEN—Ay, dear! Yan mair fer t' smo' gang, peur beggars. What 't is ta hev a bad niam.

SNIRP—Scorch with heat; a piece chipped out of earthenware.

SNICKET—A narrow passage between buildings.

SNICKLE—Snare. He could snickle eels.

SNAPE—Check. This 'll snape t' gurse frae growen. He gat snaped fer his cheek.

SNATTLE—To filch away a little at a time, or, to spend a considerable sum in that manner. He snattled through his bit o' brass an' hed ta start an' work.

SNAVELEN, SNIAVELIN—Mair an' mair fer t' riff-raff tribe. A laal druckin' sniavelin, snavelen aboot day efter day.

SNECK-POSSET—A cold reception, and the door closed against you. Grandest thing i' this world fer a chap 'at's ower mich consate aboot him.

SNEW—Sniff, or turn the nose up, as Bob Cragg dud efter he'd sook'd a rotten egg, an' he was ass'd what he was snewin at. He said he nivver ate seck a bad smell i' his life; it was war ner Shap Wells watter.

SNOOAK, SNOOAKEN, SNIFTEREN—When yan hes a cauld i' yan's heed.

SNIF-NICK—A gam laked in St. John's.

SNOTTY—Curt, disrespctful, dirty. Whia what thoos neea casion ta be seea snotty wi' yan when yan asses tha a civil answer, thoo sud gie them a civil question, thoo snotty auld slenk.

SPIALES—Gurt yarken chips 'at a fellow knocks oot when he's fellen wood. Grand for elden.

SOOA!—Sooa! Sooa! Barn! Thoo munnot put t' cat i' t' fire.

SOO, SOO'EN—I' t' dark an' dreary days o' December, when t' wind's rivin an' grianen, an' thrusten fit ta rive o t' trees an' doors doon, if ye'll whisht a minute an' lissen ye'll mebbe hear 't give a sob an' soo like a mortal i' pain. They deea say 'at that sob an' that soo co's frae t spirits o' lal barns 'at's bin co'ed away afoor t' kirk ceremonies hes bin gian throo ower them, an' 'at they enter intul the carcases o' some gurt gowlen changen hoonds, an' fer iver an iver they're at it. We'll nut hev that, will we? If t' soo'en wind is t' meeanen of a sairey spirit, it's summat war ner a lal barn.

SORT—A football point.

SOAMY—Soft moist air; soamy wedder's bad keepen wedder.

SOUTY—A rickety pig. A sheep 'ats dropsical.

SOD, SODDEN—Saturated or steeped. Wet as a sod. Ye're sodden through an' through.

SOGGY, SAGGY—Wet, springy ground.

SOPS—Bread dipped in melted butter and sugar.

SONSY—Well-favoured.

> "Of strappin', sonsy rwosy queens
> They aw may brag a few."—*Anderson*.

SOOSE—To put into water. Ah'll soose thee i' t' pump troff for thi pains.

SOSS—An ugly fall. All in a heap. Mi legs shoot oot, an' d'oon Ah went wi' seck a soss.

SODDER, SODDEREN—The bubbling noise of porridge that is boiling.

SOOART—Squirt. We used to mak sooarts oot ov a bit o' burtree.

SOCK—Part of a plew. Sock an' cooter.

SOCKETING-BRASS—A fine 'at a young chap hes ta pay if he's an off-comer when he's catch't cooartin'. Miast o' them pay 't wi' pride, but some stand on ther dignity, an' it means a march ta t' horse troff.

SOOM—Ye've happen seen a coo drink. She just sooks 't in. A chap 'at sups yal t' siam way sooms it in. Ah've seen a chap chow yal.

SOOR—A hard, soor fellow is yan at can stand a bit o' trashen aboot. Soor land is when it's wet an' wants drainen.

SOOREN—Sour leaven. A sooren o' yast.

SOWEN, SOWENLY—Extraordinary. A sowen-lang way. A sowen gurt chap. A sowen gurt wallopen cabbish. Ah's sowenly wrang if it's nut gaan ta rain.

SOWKER, SOWKEN—An outsider. That taty's a sowker. It's a sowken lang way ta walk.

SOT-WHOL—A spot 'at yance was a public hoose.

SOOR-MILK—Nut kernels when they're soft.

SOLDIERS—Floor seed stems 'at barns laik we ?

SOZLEMENT—This is a recipe : Taties, cabbish, dumplin' o on yah platter, an' then add dumplin sauce, onion gravy, sugar, salt, and pepper, an' ye wad hev a heap o' sozlement 'at wad please t' heart ov a hungry man ta say nowt aboot his stomach.

SOWINS—Ther's a lot o' macks o' sowins, but they're o' yan better ner anudder. Soor sowins, sweet sowins, het sowins, cauld sowins, an' it's

> "Oh ! fer Westmorlan' sowins an' cream,"

whichever mack they'er. Ye can mak them oot o' meal seeds, but then this is not a cookery biuk, an' varra like ye know as weel as me.

SOTTERMENT—Food that is prepared by sottering or stewing.

SOWE—Boggy ground.

SUMP—T' sypins frae a midden. Ah yance laid doon i' yan, an' Ah've net forgitten t' aroma that surroonded me like a halo fer some days.

SOOPLE—T' business end of a flail.

SPINKY—Yellowhammer.

> " The spinky an' the sparrow
> Are the Devil's bow an' arrow,
> But the robin an' the wren
> Are God's own cock an' hen."

An' for that reason lads 'll rob t' spinky er t' sparrow, without
fear.

SPARRABLE—A nail for the boot sole.

SPELL—Round of a stee or a ladder.

SPILLOE, SHILLOE—Sand and gravel at t' beck side.

SPIT—To rain slightly. It nobbut spits.

SPRODS—Fish, small salmon, &c.

SPRULE—To fidge; to sprawl.

SPIN-OOT—Sooa! sooa! thoo mun be careful o' that milk
an' mak 't spin oot, fer it's o we hev.

SPINNING ON—Lingering, dragging on. Hoo's thi faddur ?
Oh! he's spinnin' on, nowder better ner war.

SPIN—Fat. Noo lads! Marvel laikers know this 'un. It's
when they spin inta t' ring an's deed for 't.

SPANG-WHEW—Noo if Ah tell ye hoo this is deun some o'
t' lads 'll· deea 't Ah's warn'd them they will. Anyway
it's abominable cruelty ta teeads, frosks, an' cheepers.

SPECK—Patch an' darn.

SPEEK, SPAK, SPEYK—He was full o' droll speeks.

SPELK—T' frame of a swill afoor t' willy wands is woven in
amang yan annudder.

SPIAND—Weaned. Sookin 's maistly meant, but a chap 'll
spian hissel of a lot o' things in his time if he's sense.

SPLATS—Gaiters. In my time, ebm i' yours teea, knee
britches an' splats war i' go.

SPOT—Place. What mak ov a spot hes ta hed this hauf-
year ? A gay good 'un fer tommy an' plenty o' wark.
Ah's stoppen on. A sair spot; spot yan oot; a drop o'
het rum 'll gah reet ta t' spot t' first time ano.

SPRAFFLIN—A whiat easy body 'at's rayder soft. When
ye hear a women co'en her tudder hauf a laal howken,
sprafflin thing, ye can put odds doon 'at t' gray meear's
t' better hauf o' that drawt.

SPAY, SPAY'D—Ass t' coo doctor again.

SPIAD-GRAFT—The depth of one spade in the earth.

SPIC-AN'-SPAN—In good condition. She turned t' barns
oot spic-an'-span.

SPITTAL—Short for hospital—place name.

SPUNK—Pride. He hes plenty o' spunk aboot him.

SPUNKY—Wi' a bit o' pluck, an' plenty o' style an' *sang
froid*. Theer noo, is that nowt ?

SPAR—White rock 'at glitters an' glissens i' t' sun.

SPLAWDEREN—Ye've seen a chap 'at's bin towtl'd ower an' his arms an' legs hev flowen aboot a bit as he was gaan. That's splawderen.

SPLAWDER—Ta mak a gurt show. Thoo's neea casion to splawder o' ower t' toon talken aboot us gitten a new creddle.

SPELK—A splinter fer brokkun limbs.

SPELSH, SPELSHED—To break or tear off leaving jagged ends. Same as a bough or stick.

SPIT, SPITTEN-IMAGE—He's t' spit ov his fadder; aye he's spitten image ower again.

SPROGUED, SPLANSHED, SPRAIGED, SPLATTERED, SPLODDERED—Ye know what it is to wade about in a wet spot, where long grass, or ling, compels one to lift the foot a good height up each step and every particle of the dignity and poetry of motion disappears from our movements—that's sproguen, splodderen, splanshen, or spraigen as the case may be. The terms are exactly fitted to the purpose they are used for.

SPRUNG-VEIN—A lump on a vein caused by a blow.

SPEEK-SHAFF—A spoke-shave (hem!)

SPECS, SPENKS, SPENTACLES—Spectacles.

SPREED—But hezn't he some spreed wi' him? Ye've seen them chaps 'at walks on their heels, whia this is yan o' them.

SPRING-CLOGS—For ladies wi' a gimmer i' t' sooal.

SPROOTS—Bits o' flusters aboot t' band o' t' nail.

SPELKS—To hod t' stack cooat doon.

SQUAB, SWAB—Sofa. Lig doon on t' swab.

STARK—Stark, staren mad; stiff an' stark; he's varra stark; inflexable, unyielding.

STATESMAN—A man who lived on and cultivated his own land. He was yan o' t' few stiatsmen left amang us.

STEED—In place of. Thee gang steed o' me.

STREEN, STRAIN—Race, tribe, generation. Er they owt akeen? They're o' t' siam streen, but it's gay near worn oot.

STIAK—Stiak t' door. A good strong bolt for an old fashened door was a strong stake of wood inserted in holes in the walls of the doorway.

STIAVLEN—Aboot t' siam as stopen. "He gat up stav'ling nin could tell how suen."—*Graham.*

STOOKS—Stook up an' gah hiam.

STOON, STOOND—A sudden pang. It went through mi heed wi' sec a stoon.

STAND-OWER—What we tell t' nags when we're bedden them doon.

STRANGE—Distant in manner. He was seea strange an' hee an' different, nut like hissel ato.

STOT—A bullock.

STIAK-AN-RISE—A natty way o' dikin'.

STRIKE—A bushel.

STOWTER—Stacker: "And there let them stowter for me."
—*Anderson.*

STEEL—What t' butcher whets his gully on.

STEEL-YARD—A weight balk 'at weighs bi' measure.

STIANI—Stiani-gill, Stiani- raise, an' seea on ; a lads marvels
'll some o' them be stianies.

STIRRUP-CUP—The glass that is taken after the guest has
mounted his horse.

STO'ED, STO'FED—Ah dar say some o' ye's sto'ed o' this
riapment week efter week, an' yan gits sto'ed varra oft' o
things 'at's ower good bi' hauf for us.

STOOR—A quarrel. We'd a regular stoor aboot t' bullocks
gitten oot o' t' pasture inta their corn field.

STOPPEN-ON—When sarvant men, an' lads an' lasses, git a
spot 'at they like an' they can hit on 't fer wage they stop-
on. They durt skift that tierm.

STRADDLE—Stride. Thoo can straddle ower theer surely.

STRAP-OIL—We used ta think it grand fun ta send a lad fer
a pennorth an' wait for him ta come wi 't yewlen like a
gurt cauf.

STRAPPIN—A gurt strappin fellow. Yan 'at's weel grown.

STAND-SWASH—Stand out of the way. Stand-swash, Ah's
gaan to lowp.

STECK—A horse taks t' steck when it won't tak t' cart an'
inch farder fer nowt ner neea body, an' varra oft t' nag
maister taks t' stick aboot t' siam time.

STUCKER—State of alarm. Thoo's put us in a stucker noo,
gaan ta be wedded an' us seea thrang wi' t' turmets.
Thoo's neea thowt.

STUSSLE—Confusion ; stir. He was o in a stussle an' fuss.

STAG—Thoo gurt awkward stag. A young nag at izzant
brokken in.

STAKEN, STOPEN—Aboot t' siam as "popen" an' "mopen."
Staken aboot wi' his mooth wide oppen.

STALKEN—To stiffen. Ah was varra near stalkened.

STANKEN—"T' thing was theer still, an' Ah cud heer it
stanken, an' granken, an' blooen fer o t' woorld like oold
Dick Smith."—*The Mason's Ghost Story.*

STEE—A ladder. A chap 'at can't see a whol in a stee 's
badly hodden, deed is he.

STEG—Gander. A steg on a het girdle fer dancin' aboot.

STICKS—As black as sticks. Nacken like rotten sticks. Selt
up, stick an' stower. Cut thi stick. He's a gay stick.
Tak' thi stick an' hook it. Ah's yabble ta gie neea infor-
mation ; they o mean summat, neea doot.

STIDDY—Stithy-anvil.

STILTEN, STILTEREN—Siam as " Stowteren." A bit awkward on a body's pins.

STOOP—Post.

STRIPPINS, STRIP, STRIPT—Some kye 'll give a drop o' mair milk efter t' main on 't 's bin gitten, seea they're stript for 't.

STRIKES, STRUCK—This is aboot t' sheep i' het wedder ; a drop o' rubbin bottle for 't.

STUB, STUBBIN-HACK—Stub whins. Get them up by the root.

STUB, STUB-TWIST—An old horse shoe nail is known as a stub, and a gun barrel made out of them is known as a stub twist, an' a soor, sulky chap is said ta liuk as if he could bite stubs through.

STUFF, STUFT—To be crammed with tales that are without foundation in fact.

STUNNEN—Hoo go ? Stunnen.

STUNNER—A beauty. Yon gallawa's a stunner.

STURDY, STOWT—These is sheep complaints, an' varra bad uns.

STAND-KIRN—Yan o' t' auld farrand sooart. Up an' doon, some fooak co' them.

STANG—A sudden pang of pain ; a cart shaft ; a bull stang ; but sen Ah can tell they used ta ride t' stang at New Year Eve, or New Year Day, fer yal. T' fun was catchen chaps 'at pretended they dudn't want ta be catch'd ta be stanged, an' dudn't they liuk silly astride ov a powl, an' tweea fellows carryen them frae yah public-hoose tul anudder, an' a arm chair ta stang t' winner in. It's gian oot o' date. an' it's happen as weel.

STILTER—(Whar's t' word genius noo ?) Ye've seen a fellow gahn ower a lot o' rough cobbly stians, an' he's bin steppin atop on them varra careful, as if he was flait o' fo'in off ; he was stilteren amang t' cobbles. Siam wi' muck an' watter, ye've ta stilter throo on tippy-teeas.

STIRK—A young heifer or bullock.

STOUR—A bit o' bad blood 'at brecks oot in a fratch, an' sometimes ends with a feit. Like that 'at co's aboot March, it's a bit blustery, an' varra oft ther's a change on aboot than—o' bad words.

STEP-MOTHER-JAGS—Nang-nails explains this.

STEER-OFF—Start for. We mun steer off hiam. Aye, what it 'll be gitten on fer t' edge o' neet bi ye git theer.

STICK—A pint o' yal Mary wi' a stick in 't will ye ? It' a drop o' rum.

STEP-MOTHER-BITS—Varra canny bits o' breed er cheese.

STERICS—Hysterics.

STINKEN-ROGER—Ye'll find it i' t' garden.

STINT—A given quantity. A chap hed chang'd t' coo diet an' was weighin t' butter ta know t' effect. " Weel diun, dockens an' nettles," he sez tul hissel, " t' auld stint."

STOMACH—Appetite. Ah've neea stomach fer nowt. Ah ca't stomach fat meat, ato'.

STOOR—Ye'll mappen find some aboot March.

STAP—Round in a ladder, or stee.

STEND—A stick to hod a stuck pig oppen tell it sets.

STOOR AN' DRIFE—small driven snow. Seck a neet! Stoor an' drife fit ta blind yan.

STRACKLIN—A bad 'un.

STREEN--Strain as through a syle. Also to relate how the milk comes from the udder without effort when over full. Also the action of milking as it streens from the teats to the vessel when properly performed.

STRINGS—They hev ta deea wi' kye aboot cauven time, but ass t' coo docter.

STINT—A common right, but bless ye ther's neea commons noo. They're o' gian up lang sen.

STUMP AN' RUMP--Iv'ry rism. She set him a quart o' poddish, some breed an' cheese, an' he felt t' lot stump an' rump. When fooak gits inta difficulties t' bum bailiff sells 'em up stump an' rump, stick an' stane.

STAND—A stall at a fair.

STRETCH —Distance. It's a gay lang stretch ta walk.

STIRRINGS—Aboot t' fair an' tierm times thers bits o' stirrins.

STITCH—A severe pain in the side from over exertion.

STOUR—See Dyke-stour.

STRAKE—A piece of horn to scrape t' churn doon wi', or t' cream pot, or bowl.

STRAKE—A piece of wood with a perfectly straight edge to strake a measure of grain and so test it and remove that which is over and above measure.

STRAKE—A marvel laiker's word at ringy.

STRICKLE—What a mower sharpens his ley wi'. Thers t' greasehorn, sandhorn, an' t' auld knife, an' what is ther cheerfuler than whetting a scythe on a fine day i' July, t' auld hands can fairly mak music on 't.

STRINKLIN—A thin covering; a griming. Put a strinklin' o' lime on 't.

STRECK—Straight. Streck as a seeve.

STUTT—To stammer.

STEEL—A place where a footpath is taken over a hedge.

STOWER—T' end of a cart stang 'at sticks oot ahint. What yan could ride o' them formerly.

SUCK-IN, SUCKT-IN, SUCKT—A famish preacher was exhorting his congregation ta come noo, come at yance, he says, er—er—er—ye'll be suckt. It means disappointed.

SWAPE—It's when a chap walks on his heels, throws his heed weel back, an' does a bit a quaveren wi' his shooders. He gahs wi' a ter'ble swape, an' maks a gurt spreed.

SWAD—Pea shell or bean.

SWAIL, SQUAIL—To throw with violence.

SWAP—Cowp, exchange, barter. Ah'll cowp ebben hands.

SWITCHER—A smart 'un ; yan wi' a bit o' swape aboot her.

SWAG—T' inside of a beggar pooak.

SWAMISH—Shy. A gurt swamish lad.

SWARM—To climb a tree by clasping it with the arms and legs.

SWARM-PLUM-SWARM—When t' bees kest.

SWATCH—Sample. He's yan o' t' siam swatch. It would seem that one kind of a swatch is a piece of material or wool accompanying a consignment to the dyer for a pattern.

SWEAL—To burn down rapidly on one side as a candle burns in a draught.

SWEEP—Carten hay withoot putten it i' t' cart, but trailen on 't efter.

SWEG—Swallow. Sweg as mich kurn'd milk inta thi as thoo can hod.

SWELTRY—Close, warm, moist.

SWEY—Weigh butter an' chow cheese. A pund o' mair weight. Heighow fer t' days when we used ta swey on a plank.

SWIPE—Sup hurriedly. Swipe 't up an' hev anudder.

SWARF'T—Swooned. She swarf't reet away when they telt her.

SWARTH, SWARTHY—A body at's bin badly an' it's gian hard wi' them an' they come oot thin an' ghost-like is said to be a swarth. Dark sallow complexion is swarthy.

SWATH—Bacon rind. A swath on 't like leddur.

SWEET MILK—Pleasure. Noo it izzant o sweet milk fer fooak 'at's plenty o' brass.

SWINGE, SWIDDER, SWIZZEN—Singed with fire.

SWYPES—A game like skittles.

SWYPES—Poor yal ; it's nobbut swypes. A gurt drinker is a ter'ble swype.

SWILL—It gahs i' t' giss troff. To drink varra greedy like.

SWINWAS—Cater-corner, diagonal, frae yah corner of a field or a fell ta t' tudder. T' auld gam keeper used ta say when they war oot wi' t' shutters, " We'll tak this bit swinwas."

SWIATHE, SWIATHE-BALK—The grass as the mower turns it off his scythe; t' swiathe-balk is t' grund 'at t' swiathe ligs on. Ah telt ye aboot Parson Harrison lal biuk, ower three hundred year old, he tells a lal bit aboot it. Happen some day Ah'll put it in.

SWINE-THROUGH—It's fair shamful hoo some fooak 'll swine-through ther stuff.

SWINGLE-TREE—What they yoke up wi' ta plew an' seck.

SWITHER—A rough blow. He swang his arm aroond an' catcht me seck a swither ower t' heed.

SWAG—Sway. Thoo fair maks t' booards swag.

SWALLOP—When ye've a dose o' salts ta git doon, t' best way's ta swallop it off at yah drawt.

SWAPE—What we turn t' kurn wi'.

SWAT—Sit doon. Ye're i' neea hurry, swat ye doon an' hod crack.

SWATTER—To waste time or money and do it in driblets. He'd a conny bit o' brass frae an auld aunt, but he swatter'd through 't. He'd swatter aboot an' nivver buckle teea as he owt.

SWILLY-WHOLS—Pot-whols on t' moors.

SWANG, SWANGY—A swang, or a wet swangy spot in a field is t' spot ta late snipes. That is if ye know whar ta liuk.

SWAPE—A thing wi' teeth in ta scale muck an' bray clots oot.

SWATTLE—To fritter away time in frivolous dissipation.

SWEET-BUTTER, SWEET-BUTTER-DO—Ye know this ; it's what's good fer krissenens, an' seck do's. Butter wi' rum an' sugar tult.

SWEETEN TA YER LIKIN'—Make your tea or coffee as you like it. A Peerith body used ta tell a tial aboot a chap gaan off frae hiam an' when he co' back yan o' t' things he hed ta tell his mudder was 'at he'd hed some sweeten-ta-yer likin', an' supt thirteen laal potfuls on 't.

SWIJE—A chap wi' a sair ee said it kittled, an' it swij'd an' he'd rub'd it tell he'd frig'd o t' skin off.

SWINE-GRIUN'D—Siam as " Pig-chatted."

SWILL—Ta gedder taties in.

SYLING—Pouring down. It's fair sylen doon.

SYE—Ratch siam as some fooak's conscience.

SYKE—A lal bit beck, neea bigger ner a gurt gutter. T' sykes er oft dry i' summer.

SYLE—A milk strainer. Syle t' milk an' set it away.

SYPE—To drain. Hing it ower t' wo, an' let it sype.

SYPINS—Dregs. Thers' nowt fer me but some sypins o' tea.

TAFFY-JOIN—A club up ta mak' a boilen o' taffy on a winter neet.

TAGALT—A nasty auld tagalt ! Its yan wi' a bad habit er tweea.

TATH, TATHY—Tufty grass whar grund's puffed up.

TAW—T' motty. Ta taw t' line is a good thing—allus—worken er laiken.

TAYSTREL—A good-fer-nowt character. Thoo's a nasty taystrel.

TAICH, TACH, TACK—Fassen on slemly. Tach us a button wi' ta?

TAGUE—Tease. Yon barn's a reg'lar tague.

TALLY-IRON—What cap borders is crimpt on.

TARN—A gurt pond, er laal lake.

TATIES AN' POINT—When ther's neea meat but saut.

TA-YEAR—This year. We'st hev nin ower mich hay ta-yer

TAK-UP—Be fine. Ah wish t' wedder wad tak up.

TALLY—Single men an' ther wives. Leeven tally. T' new woman wad rayder co' 't summat else, seea wad t' auld man, but we stick ta t' auld words.

TALLY-MAN—A woman's husband she's nut wedded tull bi' t' Church ner t' State. Happens a Gretna Green touch, er a gipsy, er a potter do, an' that's o.

TALLY-MAN—A travelling tradesman wi' his shop on his rig 'at tacks seea mich a week an' missins.

TARGER—A bit ov a character. Yon's a targer.

TEEA—Toe, too, to.

TEAFIT—Plover, peewit, er teafit i' common talk.

TEANAL—A cockle basket.

TEDDER—To fasten a bull to a stoop wi' a riap.

TEARER, TEAR-AWAY—A chap 'at brashes aboot an' maks a gurt show o' wark.

TEESTER—Bed-heed.

TERRILOO—Set t' dog on amang t' geese, an' ther 'll be a terriloo.

TEWTLEN—Whistling. He was gaan on tewtlen up to keep t' boggles off.

TEEAFAW—A laal bit poorch an sec, built up again t' hoose side.

TEETOLLY—A small square top to laik at pins wi'.

TEEM, TOOM, TIUM—To pour out. Teem him a cup oot.

TENG—Sting. Ah gat teng'd wi' a wamp. Also the point of any article driven into a shaft.

TER'BLE—We're hev'n ter'ble fine wedder fer oor hay. an' we've a ter'ble lot on 't doon, an' its ter'ble heavy ta-year.

TEW—Ye o know what 'tis ta hev ta tew an' slave, seea Ah say neea mair on 't.

TEWER—One who makes a good fight. He's a tewer is yon.

TEDDR'D-BI-T'-TEETH—Feeding. Betty, whars your Bob? He's here si'tha tedder'd-bi-t'-teeth.

THAK—Roof. I' yah spot when a babby com a lad they pitched him on ta t' hoose top; if he stopt up he war miad intul a thacker, an' if he rowled off he was put ta preechen.

THATN, THISN—That; this.

THREEP—To argue or contradict. Will ta threep that lee i' mi fiase?

THROWN-OWER-T'-BAWKS—Ass'd oot at t' kirk fer weddin purposes.

THUMMEL-TEEA—Big toe.

THICK—In love.

THIVEL, THIBLE—What we stir poddish wi'.

THOIL, THOOL, THOLE—Find in yan's heart. He can hardly thole ta loss t' reek off his poddish.

THOMASES—Gurt wallopen clogs.

THOW-WIND—It comes fer t' frost an' snow, an' its a snizer at times.

THRANG—Busy. We're thrang as can be wi' t' hay. Thrang as throp wife.

THRIMMEL—To part with anything in a hesitating and reluctant way. He thrimmell'd them nooates ower an' ower afooar he left lowse o' them.

THRINKUMS, TANKLEMENTS, TACKLEMENT, THINGEMITY—These is three or fower gay lang 'uns, seea what they mun gang in a row siam as Johnny Lingo sheep. They mean owt 'at ivver ye want them ta mean, an' when ye're fast fer a word o' that sooart tak yan o' this mack.

THROPPLE—Throat.

THROUGH—A gurt stian 'at gahs reet through a wo' an' cocks oot at tudder side ta bark yer shins on when yer clammeren ower 't.

THROUGHLY—Buxom. She's a gay throughly body 'at's well tian care on.

THROUGH-HANDS—Ah'll tak thi through-hands. Chastise.

THROW—A turning machine is yah mak, an' ta be put on yer back i' wrusslen 's anudder.

THUM-SHAG—Tak a bit of thin haver ciak an' cover 't wi' butter fresh oot o' t' bowl, an' spreed it wi' t' thum.

THUM-SYMES—Streea bands.

THEAT—Watertight.

THROSSAN-UP—Nin ower mich room. Mi teeas is o throssan up i' these shun.

THROSSAN-UP—Yan 'at's prood, forrad, fast. Stuckan up, that's it. A throssan up monkey, she stinks o' pride (hem !)

THWACK—Ah gat sec a thwack ower t' cannister wi' his stick.

TIT-BO'-TAT—A kind o' tennis laikt wi' t' hand again a hoose side.

TIA, TIAN—One ; the one.

> Brian o'Lynn thoo's a welcome guest,
> Whilk o' mi dowters does thoo like best?
> Tian can card an' tudder can spin,
> Ah'll wed them biath, sez Brian o'Lynn.

TIAVE, TIAVEN—Planshen aboot amang t' wet gurse, er owt. We tiaved aboot laiten mushrooms.

TIDDY-WEE—Hev some mair ? A lal tiddy-wee bit thenk ye.

TIED—Obliged. "Ah's tied ta be theer." That's what chap said 'at was gaan ta be wed. "Nay," says his mudder, "thoo's theer ta be tied." T' auld woman knew.

TIERM, TEARM—The half-yearly holiday at Martinmas and Whitsuntide.

TIFF, TIFFY—Dispute. We'd a bit of a tiff. Bad temper. He gat intul a tiffy ower t.'

TIFT—Pant. Runnen maks yan tift.

TITE—As lief. Ah'd as tite be tied tul a coo tail an' trail'd ta deeth as leeve wi' some fooak.

TITTER, TIDDER, TITTERMOST—Thoo'll gang titter if thoo gangs bi thisel—which is tittermost ?

TIG—A slight tap, used i' laiken at Tiggy-Tiggy-Touchwood.

TISSICK—An epidemic. It's neea cauld, Ah's sure, it's a tissick 'at's gaan aboot. Like iv'rything else, noo, they've gitten a foreign niam fer 't—Russian influenza.

TITTIVATE—Watch a young fellow aboot twenty, siapen his mustach o' t' Setterda neet, an' putten same on his heed, an' macken hissel as smart as ivver he can. That's tittivaten.

TIDY—Good fettle. Hoo's ta blowin' ? Oh, tidy fer an' auld 'un.

TIP-HORN—Varra bent and cruikt as a tip horn. That is i' temper.

TIGGY-TIGGY-TOUCHWOOD—A gam at tiggin ; t' hauld mun be a wood un ta siave ye.

TOITLE—Fall off. He toitle't off a carful o' hay.

TOP-LIP—Moustache. Tho'll nut ken oor Jack ; he's letten his top-lip grow. What's ta growan thi top lip for, thoo gurt silly neddy? Fer fiuls ta liuk at.

TODGE—Shog, shamble. He was todgen on nice an' stiddy.

TOCH—A laal lock. A toch o' hay.

TOITY, TOIT, TOITISH—Concerning tempers. A chap 'at's gitten his rent paid, putten a bit by, an' things gaan on gaily weel, 'il be i' fair good toit.

TOME—A fishing line. To pull taffy. " Linked sweetness long drawn out "—that's tomin taffy oot.

TOUCH—Broon paper steeped i' saltpetre an' dried ta leet pipes wi' a flint an' steel.

TOUCHWOOD—Wood that is thoroughly rotten. To this is ascribed the Willy-wi-t'-wisp—that dread of youngsters.

TOFT—A building :

> " Jenny Hunter leev't than on t' auld beck smiddy loft,
> An' Will Lytel held rest o' that spead maken toft."
> —*A Tail for Joe and the Geologist.*

TOMMY-LOACHERS—Ah telt ye aboot t' bullheads; these is his mates.

TOORAL-OORAL, TOWRY-LOWRY—Just when a chap's gaan ower t' line afooar he's drunk as a wheel heed.

TOOARTI—Easily offended. Thoo mun mind hoo thoo talks, he's as tooarti as can be if thoo comes wrang way o' t' grain.

TOOZEL—Upset. Thoo wants ta toozel up thi toppin a bit mair.

TOPPER—Thoo's a topper at a bit o' leein. "He sings i' the kirk, what a topper is he."—*Anderson*.

TOPS—That tops o. "O what a top scholar is Matthew Macrae."—*Anderson.*

TOSSPOT—See Piase-egg.

TOWERTLY—Willingly, pratly.

> "An' when she'd pang'd her belly fou,
> How towertly she came hiam."—*Anderson.*

TOWP—Tip. Towp t' car up an' gah hiam.

TOWTIL—Upset. He towtill'd off his chair on ta t' fleear.

TOMMY—Food. What'n a tommy shop is 't ?

TOP-HEAVY—Wi' a laal drop mair i' yan ner 'll gah streck ; an' owt else 'at's welted a bit at top.

TOPPIN—What they lead cuddies bi, an' lasses curl wi' het pipe stoples to spoil ther bonny fiases.

TOON-GIAT—The main thoroughfare of a village or town.

TORFERT—To turn up through weakness or excessive effort. Ah's gaan to torfert Ah's flait.

TOUCHER—As near as a toucher.

TOUCHY, TOCHIOUS—Short tempered ; catted ; as touchy as can be. Thoo needn't be seea touchious.

TRALLOP, TRALLOPS—Aye dear ! These is used fer a mack o' fooak 'at's nowder fend ner shift aboot them. Peur beggars, they git t' hard word frae ivvrybody.

TRALLACK, TRALLACKEN, TRALLACKS—He wad trallack aboot wi' a auld gun under his arm ; we war trallacken aboot amang t' snow ; she's a gurt nasty trallacks, 'at is she.

TRASHEN, TRASHEN-ABOOT—To be engaged in a dirty or unpleasant occupation in wet or unfavourable weather.

TRASHY—Wild wet weather. It's varra trashy.

TRASHY—Of bad habits sairy man. Dick, Ah's flait he's nobbut trashy.

TRIAK, TRIAKEN—Trailen aboot. Thoo wad triak yan aboot as lang as yan can git yah fiut by tudder.

TRIG—Tight fitting ; neat. These shun's as trig as skin.

TRINTER—Three years old sheep.

TRIPPET—Tip-cat, peggy, er what nut. Pointed at baith ends. "He was shiap'd aw the war'l like a trippet."— *Anderson.*

TROLLY-BAGS—A chap wi' a deal o' waistcoat.

TROT—Tease. They trotted him aboot that caper tell he was crazy mad ower 't.

TRAIL—Drag. Let's gah trail whins fer oor bian-fire. See Hag-an'-trail.

TRAIL-TRIPE—Yan 'at's come inta t' world rayder back on, an's i' neea hurry to mack up.

TREACLE JACKY—Teetotaller's yal miad at hiam oot o' treacle; er as yah chap writes to say Bawtree Johnny—that's elder wine.

TREMENDOUS—He's a tremendous chap fer howken amang auld biuks, er papers, er owt o' that mack. He tiak tremendous good care ta stick ta owt he gat hauld on.

TRENCHER-MAN—A heavy feeder's a first class trencher man.

TRICK—Dealings. Ah'll hev neea trick wi' thi ato.

TRIVIT—Ah's as reet as a trivit.

TROD—A path made by the constant treading of feet—fiut-trod. rabbit-trod, coo-trod, sheep-trod, an' seea on.

TROONCE—Chastise. Ah'll troonce thi a bit fer thi craft.

TRUGFUL—An assboordful o' owt.

TRUST—Credit. Ah bowt that nag o' trust.

TRUNNEL—Wheel fer t' barrow. T' trunnel is like a lot o' mair things, they gah better wi' greasin'.

TRAVELLERS' JOY—Whar it grows theers watter.

TULL, TULT—To it. Dry breed an' nowt tult.

TUTHER, TUDDER—When a chap can't tell tudder frae which he's badly hodden.

TUCKIN'—A " tuck-in " er a " tuck-oot " is a feed, an' tuckin's t' act o' sidin it away whar it'll deea t' miast good.

TULLY—A term of disgust. T' gurt mucky tully, 'at is she, she wad scowbank aboot i' any mack o' muck an' scrow afooar she wad side up.

TUMLER-WHEELS—A primitive description of cart used formerly in the dales; the wheels and axle revolve together.

TURN—Yan 'at sarras his awn turn, er does o his awn turns, is yan 'at minds his awn end at iv'ry turn.

TURN-AN-NIUK—We'll set ye as far as t' turn-at-niuk. It's a bend in the road.

TURNIP-LANTERN—A lantern made out of a turnip. O lads gahs through t' turnip lantern stage i' ther turns, an' ther's nowt pleases them better ner ta flay sombody wi' yan 'at they've scowpt oot, an' cutten een, nooase, mooth, an' lug whols in 't an' stucken shoomakker pegs in fer teeth.

TUSHES—Tusks.

TUSHY-PEGS—T' barn teeth.

TWANG'D—Twisted. Thoo's twang'd thi shoe heel o yah side.

TWIG—A lad's prank, consisting of jerking upwards the short hairs of the neck fer bad manners e company.

TWINK—Ah'll be wi' ye in a twink.

TWINTER—Two years old sheep.

TWITCH, TWITCH-RIAK—Couch-grass. An iron rake.

TWITTER—Trull like a bird, tremble. His lip was twitterem when he telt 'at his lass hed gi'en him t' sneck possett.

TWANGK—Siam as troonce.

TWIST—Appetite. That lad hes a twist.

TWINEY—Fractious, pleeny, ailing. That barn's seea twiney Ah can deea nowt fer frabbin wi' 't.

TWITE-TA—Confound thi. Od twite-ta thoo's ower mich auld buck aboot thi fer tweea.

TWOSUM—Both. T' twosum rowt hard ta git on.

TYPE, TYPER—To sup up at one draught. Type it up, an' when a few's bin typ'd up he's a typer.

TYKE—A heedless, hearty ho-buck, wi' a rough heed an' a rougher tongue, an' ways 'at seeuner er leeater 'll land i' bodder. That's a tyke. Somehoo we like t' tike breed if they wad nobbut hev a bit mair wit.

UDDERSOME—Other persons; queer, Ah's as uddersome as o' that.

UDDERWAS—Other ways. He'd yah faut, he liked yal, udderwas a better fellow ye nivver could leet on; contrary—thoo's neea casion ta be sa udderwas ower 't.

UGLY-MUG—A compliment fer nice liuken fooak. Thoo wad deea ta gang ta Burton an' set fiaces fer ugly-mugs.

UNBETHOWT—Remembered:

> Auld Willie Bowt, Ah unbethought,
> Ow'd him fer a quart Ah'd lang sen gitten,
> Seea up Ah gat, an' oot Ah pot,
> An' wisht them o besmitten.

UNDER-GROWTH—Apples that grow on the under side of the tree, and which are longer in ripening, and are sweeter for it.

UNGAIN—Roundabout. That's a ungain way o' gaan aboot thi wark min.

UNKID—Weird; strange; cross; queer. He telt us a unkid tial aboot his broughtins up.

UPBANK, DOONBANK, IN-BANK—Ah'll put these ota-gidder becos they're o o' yah mak'. Upbank's gaan uphill, doonbank and inbank's gaan doon. Upbank wark's tryen ta git on i' t' world; doonbank's a way a lot on us gah withoot mich tryen. An auld sayen is " Thoo's like a coo tail; thoo grows doonbank."

UPSHAW—Over. It's aboot upshaw wi' him.

UPSHOT—Final. T' upshot was 'at they mud feit an' feit tell o was black and blue they dud.

UPSTIRRING—Up and busy. We mun be upstirrin afooar t' sparrows i' t' moornin'.

UPTACK—Reward for finding. They gat a croon fer t' uptack o' that hoond.

UPHOD—Maintenance. He's a chap at's at a ter'ble gurt uphod sen he was seea badly.

URCHIN, URCHANT—Hedgehog. They sook eggs, an' kye, an' lads throw them i' t' pond ta oppen them oot.

URL'D—A knotty tree, or piece of wood; a youth of poor physical development. He's a laal url'd stunt; he's set on an' 'll niver grow neea bigger.

USE-IN-DRUM—Interest on a small sum lent oot:

> " Ah've three hauf croons put oot ta use,
> An' sixteenpence beside;
> An' Ah just draw the use-in-drum,
> An' let the heeal stock bide."—*Old Song.*

VAGABOND'S-FRIEND—Solomon's seal. Cure's black een, brossen snoots, bruises, an' sec ! ! ! It hez a good niam awur.

VARGUS—Thoor's as soor as crab-varjus.

VAST—A large quantity. Ther's a vast o' fooak at's back ta year wi' t' hay.

VIEW-HALLA—" My lugs rang as if John Hudson hounds hed startit a fox, an' he was givvan t' view halla."—*Joe and the Geologist.*

VIRGIN-MARY—A garden flooer.

WADDITER—India-rubber for removing lead pencil marks—wad-eater.

WATTER-JOWLED—Soaked or sodden as potatoes are sometimes when cooking.

WAD—Would. Wad ye mind lenen mi mudder your cheese, we'ye some company dropt in? Ah wad'nt, honey, but Sarah hes 't.

WAE-WORTH-THA—When yan's summat nasty ta say an' can't find nowt better.

WARK—Ache.

WASS—Soor and acidy.

WAR'DAY—Week-day. See'sta, he went tull t' market i' his war'day clias, an' fooak o giapen an' glooaren wi' o t' een they hev at him, t' auld maddlin'.

WARE—Spend. Thoo mun ware thi brass carefully.

WARF—Stale; damp. This meet tiastes warf. A pantry smells warf, an' seea on.

WARN'D—Ah's warn'd yer gaily thrang.

WARNING—Notice. He's gi'en warnen ta quit.

WATER-SHOT—To form a wall or a stack on such a principle that water will run outwards and off.

WATER-WIER—To protect the sides of a water-course—they're watter wieren t' beck.

WATH—A way ower a beck wi' gaan throo 't, whar a rooad an' it crosses an' ther's neea brig.

WATTLES—Countenance. Nivver let thi wattles doon ower a thing like that min.

WAWL, WAWEN—The music of cats at neet time.

WAX—Grow. Thoo niver waxes a bit.

WAXING-PAINS—When young fooak grow ower fast fer ther strength.

WAX-KERNELS—Lumps i' t' skin like nuts.

WAY-GAAN—Oot gaan er off-gaan crops an' seck like, when a farmer comes to t' end of his lease an's gaan away.

WAF—A current of air. Keep oot o' t' waf o' t' train, er it'll draw thi in anunder 't.

WAFFY—Faint. Ah's that waffy thoo could fell mi wi' a fedder.

WAFFLE, WAFFLER—Change about. Thoo'l waffle aboot an' say owt; thoo's nowt but a silly waffler.

WAG-BI'-T'-WO—A clock wi' neea wood-work an' ye can see o' t' guts.

WAISTREL—A chap 'at gahs through his time an' his substance withoot diun mickle good.

WAD—Lead. Thoo's as blue as wad. Len' us a bit o' wad pencil.

WAD—Stuff; plug; gorge. Wad thisel wi' some beef an' taties.

WALLOP—Thrash. Ah'll wallop thi fer thi craft.

WALLOPER—Large. That's a walloper.

WALLOPEN—Thrashing.—Thoo'll git a wallopen. Very large; it's a gurt wallopen barn.

WALLAT—What a man carries his tommy in tied ower his rig. A corner field.

WANDLY—Gently. Oppen t' deur wandly an' creep in. In a quiet, suave manner. He wandly sez: "What, Joe, thou mapin wad'nt like to tell a body how thou gat on wi' t' oald jollyjist."

WAP—A bundle of thrashed straw. He'd a wap o' streea on his rig.

WATTER-BRASH—Anudder fer t' coo doctor.

WALL-EYED—A dog with eyes of two colours.

WALLIKUR, WALLIKEN—Very big. A gurt walliken chap. That's a wallikur.

WALLOW—Welsh. Ah've a nasty wallow tiaste i' mi' mooth like rotten eggs.

WAMLY—Faint from hunger. Ah's wamly as owt fer mi dinner.

WANDS—Willows; switches.

> "Noo's thy chance then, thee be choosin',
>   Likely wands are less'nin fast,
>   An' if thoo gangs on refusin'
>   Thoo mun he'e t' creeakt stick at last."—*Bowness*.

WANGLE, WANGKLY—Weak, without strength or vigour. Ah's nobbut wangkly. Ah can hardly wangle aboot.

WANTER—Fooak 'at want a partner:

> " He lives aw his lane; but he's surely to blame
> When a wanter like me may be had sae near heame."
>
> *Anderson.*

WAP—A bundle of straw put round a pump or a tap to keep the frost out.

WAPEN-TAK—An officer employed to recover debt. " If he doesn't pay up Ah'll set t' wapen-tack on tull him." This officer is reported to have existed in the town of Kendal till as late as 1836.

WARBLE—A maggot in a cow's hide.

WAR-OOT—War-oot o' t' way. Git oot o' the rooad o' danger.

WELT—Upset. Sooa! sooa! thoo murt welt t' bucket. A rough blow. A welt ower t' lug.

WEAKY—Moist; mellow. Put a wet cloot on t' cheese ta keep 't weaky.

WEATHER-BREEDER—A fine day amang a tot o't tudder mak.

WEATHER-GLEAM—To perceive some one or something in the distance or dusk. Ah could weather gleam ye on afront on us.

WEATHER-GO—A lump of a rainbow end.

WEATHER-WISE—Yan 'at knows what soort o' wedder we want, an' prophecies 'at it'll land up.

WEE--A laal wee chap wi' a gurt heed.

WEEZEN'D—-Wrinkled an' shrivelled. A weezen'd laal monkey 'at is he.

WELSH—In want of a tonic. Ah's as welsh as can be this moornen—this is efter a spree, when a saut heeren er owt o' that mack gahs doon gaily grand.

WEZ'N, WEZ'RIN—Wind pipe.

WERT, WURT—Will not. Ah wert gah anudder step tell thoo pays me.

WEATHER-GLASS—Barometer—'t lasses played a breck yance wi' yan, an' t' auld man put it oot o' doors amang t' rain with the remark " See fer thisel thoo auld leer."

WEATHER-GLASS—Red rubrum. Shuts up when its garn ta rain.

WHIFFLE, WHAFFLE—One that is easily turned. He whiffles an he whaffles; he's like a dictionary, he sticks ta nowt neea length o' time. Siam way wi' t' wind.

WHIGMALEERIE—A bit leet an' whimmy. Nowt bad ye know, but just a bit fanciful amang t' lasses an' seck.

WHUFFLES—When t' wind booasums a gay deal.

WHYTE-TA, OD-WHYTE-TA—About like ' twiteta '; rayder a whiat mack o' sweeren.

WHAFFIN, WHUFFIN, WHU'IN—The continued barking of a whelp or a chained dog. What's ta whuffin at ?

WHANG—A shoe liace; to throw down. He whang'd him doon wi' seck a leddur.

WHANGEN—Aboot t' siam as Brashen.

WHANGHY, WHANGBY—Summat er owt 'at's varra teuf, a mack o' cheese.

WHANKET—A rough piece. He'd a gurt whanket o' cheese i' yah nief, an' a lump o' broon Geordie i' tudder, 'at he was trying ta fettle.

WHAKLY—An' oily insinuating manner. Ah mak nowt o' yer whakly, greasy fooak. Gie me yan 'at says what he thinks an' neea mair on 't.

WHEEZE, WHEEZLY—Breathe. He can hardly wheeze an' blow. Ah's varra wheezly.

WHIDDEREN—Big; somewhat awkward. A gurt whidderen fellow.

WHIDDUR—Tremble. It maks yan's skin whiddur to think on 't.

WHIRLERS—Leather heels fer stockings ta keep t' clogs frae weearen them through.

WHISHT—Keep quiet. Whisht a bit an' see if we can hear owt. Quietly. He was gaan on his tippy teeas as whisht as he could.

WHITE—Cut. White thi' stick. Give up makin' seea many whitins.

WHITTLE—Carving knife. I' yah parish they'd nobbut yan an' it stuck in a tree tell it was wanted. Fooak used ta shoot " Carls whittle ta t' tree," an' that used ta mak them crazy.

WHUFT—T' reek whuft doon t' chimla. He whuft a chow o' bacca oot. Summat diun gayley sharp wi' a puff o' wind.

WHYTE—Quite. He's gon whyte away.

WHAMP—Wasp. A whamp nest.

WHARREL—Stone quarry; to quarry stone. Gang ta t' wharrel fer a liad o' stians.

WHATN—Whatn does thoo whistle i' t' hoose for?

WHAT-FOR—Why. What for does ta allus be seea unmannerly when fooak er in ?

WHEEAM—Full thi wheeam, it's last thoo'll see fer a bit— its yan's poddish pooak.

WHEEM—Smooth, soft-spoken, oily-tongued. He's a gay wheem carl.

WHELLOCK, WHELLOCKER, WHELLOCKEN—A whellock ower t' lug; a gurt whellocker. He got a whellocken. A rough lot these is fer owt 'ats awk'ard.

WHEMMLE—Overturn. Whemmle a swill ower that auld hen 'at's clocken.

WHEN—Say when. That's when they're gaan ta lift owt 'at's heavy. Yan says, " Say when." Tudder 'll say, " when," then up it gahs.

WHENT—Quaint, old-fashioned, funny. He's a whent 'un.

WHET—Ah'll hev neea mair this whet. Whet stands for many things, such as turn, occasion, at present, and so on.

WHAMBLY—A bit shakky efter a badly roond.

WHUP-CRACKEN—A lump o' coord ta mak a whup crack ; o' lads wants a bit.

WHUPPERSNAPPER—An upstart; yan 'at's kilt wi' wit ; a bit of a fop ; a silly clown. Efter we hed bin on wi' these words a gay canny bit Ah gat a letter ta say 'at t' first conclusion 'at yan o' mi readers hed come tull was 'at Ah was a whuppersnapper, macken gam o' fooak, an' ther auld farrant twang ; seea ye'll know noo what ta say when ye want to plague somebody a bit.

WHUP-STREEA—Thrash. Thee gang an' whup streea, an' Ah'll gah oot wi' t' nags.

WHUZ—A lad's laiken miad oot ov a roond bit o' leed, an' spun aroond wi' twisted string. It gangs like a circular saw, an' fair whuzes.

WHY—A coo calf's a why calf.

WHYA-NEEA—" Whya-neea " means " Well no," wi' a bit o' foorce behint it. " Whya neea ! " sez Ah, " Ah'll deea nowt at mack nowder fer thee ner thi betters sista."

WHYA—well ; yes. Whya an' hoo er ye o' gaan on ? Whya what wer o' amacka middlin. Will ta hev me ? Whya what Ah's be like as thoo asses seea nicely.

WHY-LAIKENS—Beestens.

WHEWED—To throw in a temper. He whewed t' door teea wi' seck a leddur.

WHEWTEN—Snowing slightly.

WHEWTLE—Whistle. Whewtle us an air on 't.

WHICHN—Whichn will thoo hev ?

WHICK—Living ; growing. A whick dike ; *i.e.*, a growing whick-set hedge, as distinct from a dry dike.

WHICKS—Watch a sheep 'at hez them—they're lal mawks.

WHICK-SET—Growing hawthorn in a hedge.

WHICKENIN—A risin o' yast.

WHICKIN-RAKE—A iron riak fer cleanen aboot t' dike boddum.

WHIGS—Laal conny ciaks, wi' seeds in.

WHILES—Occasionally. Whiles he's as reet as anybody.

WHILK—Whether, which. Whilk on ye's gaan wi' me ?

WHILLY-LILLY—Greasy whakly daubment. Ther's neea whilly-lilly wark aboot huz, neea marry.

WHINGE—Cry. Thoo'll git summat ta whinge for, if Ah cu ta thi.

WHINNY, WHINNYEN—The neighing of horses.

WHIMWHAM—A whuz. A lad's laiken, like a watter wheel in a beck.

WHIRL-PUFF—A whirlwind on a laal scale.

WHIPLETREE—A swingletree. He was a genuine type of the Lakeland character who so used this word on more than one occasion. [I do not vouch for its existence now in the above sense.]

WHIPS—Lots. We've whips o' streea.

WHITLOW—A poisoned finger; gathering about the nail.

WHITTLE-GIAT—Ah telt ye what a saw giat is. This is whar t' carvin' knife gahs, an' years sen it was t' tommy 'at t' skiul-maister hed frae them wheeas barns he was larnen ta shoot. It maks yan laff noo ta see what ways they hed a few o' years sen.

WICKS—Twitch.

WIRE IN—To buckle teea wi' a good will. Wire in an' git thi niam up.

WHITCHWOOD, MICKANWOOD—Nowt nobbut t' auld burtree 'at witches was flayed on formerly. Witches bi gom! Ah say witches an' mowin machines! Eh! What?

WIND-IN-A-DYKE—Summat 'ats sharp he's gian doon t' toon like wind in a dyke, what is ther up? It went like wind in a dyke at they war gaan ta be wedded.

WIDDIES—Willy-wands at yah time used fer door jimmers.

WILLY-WAND—A willow.

WISP—A handfull of straw put in shoes or clogs to keep the feet warm. A bit of twisted straw stuck in a hole of a sack—otherwise, a miller's cloot. To clean a horse; whisp it doon. An' amair forbye these.

WIAS—A roond streea ring fer a pan ta stand on.

WIASTRY—Waistfulness. Seck waistry as yan niver dud see barn; it's fair shocken.

WID—With.

WID'NT, WAD'NT—Will not; would not.

WILL-CAN—Be able and willing. Ah deea wish 'at ye will-can come as ye said, it'll be seea grand ta gang on t' fells an' lait ferns.

WILLY-WI'-T-WISP—Leets i' dike breeasts at dark o' neet. Varra flaysome things is willy-wi'-t'-wisp.

WIND—Scent. Wind 'em noo.

WIND—Breath. Ah's short o' wind. Ah's aboot winded.

WINDED—Bacon not properly cured. It's winded aboot t' shooder.

WIND-FO—A rich relative's leavings.

WIND-EGG—A egg withoot a skell. Thoo'll run them hens tell we'll hev nin but wind-eggs.

WIND-ROW—Hay raked up in rows.

WINE-BERRIES—Red currants.

WINNAK—A sort of leddur bottle ta carry drink er owt in.

WINNLE-STREEA—Dried stalks o' gurse. His leg is neea thicker ner winnle streeas.

WIRE-WORMS—Milleped.

WIZZEN—Wrinkled and ill-favoured. Thoo laal wizzened imp, thoo.

WON—Secured. A stack of well-won meadow hay.

WOODY—Radishes 'at's gitten sticky; er owt else o' that mack.

WO'-PLATE—Atween t' sliates an' t' wo. Many a bit ov a thing gits fielded up theer an' lost.

WO'-WHOL—Whar laal rabbits skug in.

WOO-GARN—Wool-yarn.

> " A rock, a reel, a woo-garn wheel,
> An' a besom meayde o ling."—*Whitehead*.

WORK, WROUGHT—Aye, fer sewer; that's it t' belly wark wi' physic.

WOTE, WOTIN—T' edge of a clog sole whar t' top's fassened on. Thoo's worn t' doon ta t' wote fer want of a calker· T' wotins a bit o' leddur at gahs aroond ta keep t' top fast at t' sooal.

WOTS, WOTTINS—Siam as Orts. Bits o' fodder left at t' biws.

WOW—Waf an' bark like a silly dog. Shut up wi' tha; what's ta keep wow'en aboot ?

WOWY—Oot o' fettle.

WOTS—Oats. A gay canny crop o' wots yon.

WRECKLING—T' least pig i' t' litter; a reckless member of a family.

WRIGLED—Ass t' veterinary fer full particulars.

WRINE—Rind. This bacon wrine's as tiuf as ledder.

WULF, WULFEN—Eating voraciously. Thoo's neea casion to wulf thi dinner doon like that.

WUMMEL—Augur.

WYKE—Hollow. It slipt through t' wyke o' mi hand. Grease was runnen frae t' wyke ov his mooth.

YAMMER, YAMMEREN—Grumbling in an undertone. What's ta keep yammeren aboot ?

YAP, YAPPY, YAP-STICK—A chap 'at's a bit ov o gomeril.

YARK—Beat. To snatch roughly. Yark it oot.

YARKER—A greedy person. He's a yarker.

YAUP—Shouting. Thoo may yaup an' shoot as thoo's a mind, Ah'll hev mi awn way about it.

YEDWAND—Aboot t' siam as Yedder.

YEWE—Wild rhubarb, burbleck, an' what nut, t' Latin for 't wad cap yan ta mak oot.

YEARTH—The earth.

YEARTH-UP—To soil up growing vegetables.

YEARTH-FAST—A stone deeply buried in the ground.

YEDDER—What we bind top o' t' dykes tagidder wi', Gurt hazel stick—that's a yedder.

YERBS—Herbs.

YEDDEREN—What a lad gits fer bein ower bain, an' diun iv'rything 'at he wants an' nowt 'at he sud. A gurt lowse bianed chap at sledders aboot i' rayder rough pickle is said ta be a gurt yedderen fellow.

YEDDLE, YEDDLEN—Always nattering and grumbling. He's always yeddlen aboot summat, but nea body taks nea nooatice on him. Let him yeddle, sez Ah.

YERB-PUDDING—Easter-man-giants, brocoli, chives, nettles, chopped fine, mixed wi' barley, an' boiled in a pooak. That's a dinner of herbs. They gev a Cockney some yance, an' he brast oot yewlen, an' sez he, Ah izzant gaan ta be a coo, is Ah ?

YERD-WAND—A measuring stick.

YERLS, EARLES, ARLES, ARLE-PENNY—The money with which the farm servant is bound to carry out his agreement with a master.

YEWER—Cow's udder.

YOD—Galliwa. Gang an' fetch t' auld yod, an' t' coddy, an' t' tweea grey stags off t' fell, an' put them inta t' yack intack.

YOOL, YOOLEN—Cry. What's ta yoolen for ?

YOUNGERMER—Younger. T' youngermer end o' them hed gian ta bed.

YONDERLY—Slack set up. Ah's a bit yonderly.

YOWE-YONUTS—Earth nuts ; pig nuts. They're like laal taties. We used ta howk them up an' eat them, but they're nut up ta mich.

YOWLEN—Howling. Give ower yowlen.

SUPPLEMENTARY LIST.

BAILLIFS, BYDELAW-MEN, FRESHMEN — Parish officers *vide Morland Parish Church papers*, A.D. 1609.

BENK—What they crush'd crabs on e' former days, ta mak vargus on, its gaily oft used noo fer t' knop ta stand on when fooaks weshen.

BIDE—Endure. Thoo mun gurn an' bide it; stay—yan may bide aboot hiam tell yan hardly likes ta gah oot o' t' fauld yat.

BIDER—Yan 'at can stand a bit o' punishment withoot making any fuss aboot it.

BIDEN-ON—Remaining at a situation for another term.

BIND-WEED—A trailen mack o' ket.

BODY'S SEL'—Oneself. When yan's nowt but a body's sel' ta deea ivvry hand's stir, yan cart git ower sa mich grund as yan wad like. Its varra whiat an' dowly bi a body's sel'.

CHOPPEN AN' CHANGEN—Yan 'at whuffles aboot a lot, he's allus choppen an' changen frae yah shop ta t' tudder.

CRABS—Wild soor apples.

CRAB-VARGUS—Juice o' crabs. T' grandest thing oot fer t' scurvy yan can hev, an anudder er tweea ailments. Talk aboot soor grapes edgen t' teeth, its nowt bairn ta them 'ats gian soor wi' suppen vargus, an' nivver gitten ower 't neea mair, an' nivver will, sairy soor things.

DEVIL'S-BIRTHDAY—T' weshin-day.

DUMB-BANNOCK—Ta tell yan's fortune e love matters wi'. Its owt o' fashun noo an' they deea 't wi' tee leeves an' t' tee cup. Seck silly ways sez Ah.

EEN, EE-WHOL—The eyes.

EE'EN—Viewing.

FALLUS—A fallow field. Trailen aboot amang t' fallus tires yan ta deeth.

HAND—District. He co's off o' Kendal hand bi' t' twang on him.

HERE-AWAY—In oor nebburhood. We've neea bodder hereaway.

HES-BEEN—Its a good auld hes-been, nin seck a bad auld sowl yut.

HURD-MEAT—" Ord the hurde to take his meate at Rd.
Kirkbride's."—Extract from *Morland Parish Church papers*,
furnished by Capt. Markham. From this it would seem
that " Afooar t' moor went up " there were others than
the schoolmaster for whom a whittlegate, or, run o' t'
teeth was provided.*

KNAP-HAND—Cunning, skilful, handy. He's a knap-hand
wi' a scythe, 'at is he.

LADDEREN—Hanging down.

MEN'S-DAUGHTER-DAY—Laal Whissun Tuesday a gurt
day fer lasses aboot Peerith when t' Cavalry's up an'
ther's a bit o' stirrin gaan on. It's a gay thrang day fer
chaps 'at's on t' liuk oot fer a man's dowter 'at he wants
ta keep. Ye cooarters 'll know withoot a doot.

MY-SANG—An expletive. My Sang ! but thoo'll cop it when
thi fadder cu's hiam fer that'n.

NETTLED—Irritated (hem !) Ah was seea nettled when he
co'd me a leer, sista Ah dud'nt know if Ah was on mi heed
er mi heels 'at dud'nt Ah.

NOOASEN—Shoven yan's nooase in whar it's nut wanted,
he was nooasen hissel in wi' tellen lees aboot udder fooak.

PEAT-BROON—T' colour of a dried peat, er a bit of undyed
woo'.

PEPPER-AN'-SAUT—A mixture colour.

PEEKEN AN' PINKEN—Peering into other people's affairs.
Peeken an' pinken she wad hev her nooase in if ther was
owt gaan on.

ROOP—T' broontitus. Oor barns o' hes t' roop.

SCRAWBY—Varra nar an' shabby. Nay sista Ah wad'nt be
seea scrawby as ta split a taty.

SILVER-TAILS—Moths 'at breeds t' worms 'at eats yan's
things through an' through like riddles.

SIGNEN-CAKE—A rich good cake wi' honey in 't. Made on
Valentine's day for lasses ta catch a sweet heart wi' as
if lasses wasn't sweet enieuf for that trick any day o' t'
week. It's aboot cwer, wi' 't awur, an' sweethearts er
nut " handfassened " wi' a bit ov a fat ciak, noo, but
they're " engaged," an' fer a " sign " they tak a gurt
howken ring er tweea.

SLAP-DASH—Whitewash put on wi' slappen ont on asteed
o' brushen ont in.

SHIFT—A chemise. T' auld woman wiar hers a month an'
than turned it, becos she sed clean things was seea nice
an' comfortable fer yan's skin.

---

* It is often arranged that the shepherd, in a Russian village, should
get his board and lodging at the houses of those whose cattle he watches,
passing from one to another in turn.—*vide Ivan the Fool*—Tolstoy, **p.** 28.

SARK—A man's shirt. Thoo'll nivver git t' sark off a fellow's back 'ats stian-niakt.

STYME—Its as dark as pick an' Ah cart see a styme.

TANTWIVVY—At a gurt speed. He was gaan efter t' hoonds at seck a tantwivvy.

THUNJE, THUNJEN—A heavy fall or thump. It fell wi' seck a thunje on t' loft fleear. An awkward manner. Thoo's thunjen aboot gayly rough, but Ah'll pare thi doon, thoo gurt lungious brute.

THERE-AWAY—Theer er theer aboots, e' that direction. He was gaan tull a sial at Kendal er theer-away.

TEDDERINGE—Yan's teddered bi t' teeth, anudder bi t' tongue, an' some bi t' snoot. Some hev far ower mich tedder, an' udders nut half eniuf. They gah a gay lang way back when dikes wasn't as common an ther was belly mezzur fer t' lot. Ah gat thisn frac oot amang some auld kirk papers at Moorlan'.

TIAD-AN'-BATTLIN-STIAN—A laal chap on a gurt nag— like a tiad on a battlin stian, and these e former days war tweea stians ta bray line inta fettle fer spinning. Noo-a-days they're mainly used fer brayin sand fer t' kitchen fleear.

TAIL-ENDER—Yan 'at's a bit back wi' owt they hev in hand.

WALK-MILL—A mill where fulling, dyeing, and shrinking (walking-up) was done. Most of the walk-mills would seem to have changed their functions and been provided with grinding machinery.

WIDN'T—Will not. Ah widn't gah anudder stride seea noo than.

YAH, YAN—One. When yan's deun what yan can, what mair can yan deea ?

APPENDIX OF CONTRIBUTED WORDS.

ANSERDALE—Field name.

BINK—Bench like crags; ledges in the rock's face.

BON—T' nag niam.

BREED—Breadth, width. Aye an' sista thers a breed reet across t' taty plat frozen as black 's mi hat. Its cappin.

CANDLESTICKS—Garden cowslips.

COCKS AND HENS—Sycamore bloom.

DAALE—A section of a meadow divided by a natural boundary. Ye can maw that daale aback o' t' gurt rian this foreneun.

DAPPER, DEPPER, DAPPLE—T' nag niams.

DIAMOND—T' nag.

DOCKIN—Cure for nettle stings.

> Dockin gah in
> Nettle come oot.

DOGSTINKS—Dandelion.

DOWKER-FLATT—Field name.

ELLER-KNOPS—Elder berries.

FARMER—T' nag.

GARBUTTS—Field name.

GOLDILOCKS—Marsh butter cups.

GOOD-LUCK—Club moss.

HENPENNY—Hen bane.

KELSYKE—Field name.

KILCROFT—Field name.

LONDON BOB—Sweet William.

OXCLOSE—Field name.

PANCAKED—Caught in a shower with a lot of hay newly strewn for drying purposes. Neea body likes ta be pancaikt it liuks seea. We'd just gitten t' lal parrack abreed when that scufter com on an' panciakt us gaily nicely.

RYE SALLY RYE—A counting out rhyme.

> Rye Sally, Rye Sally, tinklin a can,
> Rye Sally, Rye Sally, for a young man,
> Come choose the east, come choose the west,
> Come choose the one that you love best.

Lucky Sally sez Ah.

SPOUT, SCOUT—A waterfall.

TRANMER—Field name.

WHACK—Share, proportion. Ah've diun my whack an' thoo mun deea thine.

SCORING NUMERALS.

CUMBERLAND—From the Rev. Canon Thornley and the Rev. J. Sharp-Ostle in *Penrith Observer*, November 30th, 1897, who give interesting references.

1—Yan.	11—Yan-a-dick.
2—Tyan.	12—Tyan-a-dick.
3—Tethera.	13—Tethera-a-dick.
4—Methera.	14—Methera-a-dick.
5—Pimp.	15—Bumfit.
6—Sethera.	16—Yan-a-bumfit.
7—Lethera.	17—Tyan-a-bumfit.
8—Hovera.	18—Tether-a-bumfit.
9—Dovera.	19—Mether-a-bumfit.
10—Dick	20—Giggot.

WESTMORLAND—From " A.C." in *Penrith Observer*, April 19th, 1898. The present writer remembers trying to learn the list *viva voce* from a more advanced Lakeland lad.

1—Yan.	11—Yan-dick.
2—Tahn.	12—Tahn-dick.
3—Teddera.	13—Teddera-dick.
4—Meddera.	14—Medder-dick.
5—Pimp.	15—Bumfit.
6—Settera.	16—Yan-a-bumfit.
7—Littera.	17—Tahn-a-bumfit.
8—Hovera.	18—Tedder-a-bumfit.
9—Dovera.	19—Medder-a-bumfit.
10—Dick.	20—Jiggot.

NIDDERDALE—From Mr. Thos. Wilkinson, of Matterdal with interesting comments.

1—Yain.	11—Yain-dix.
2—Tain.	12—Tain-dix.
3—Eddero.	13—Eddero-dix.
4—Peddero.	14—Peddero-dix.
5—Pitts.	15—Bumfit.
6—Tayter.	16—Yain-o-bumfit.
7—Layter.	17—Tain-o-bumfit.
8—Overo.	18—Eddero-o-bumfit.
9—Covero.	19—Peddero-o-bumfit.
10—Dix.	20—Jiggit.

CONISTON AND DISTRICT—Quoted from the writings of the late Rev. T. Ellwood, M.A.

1—Yan.	11—Yan-a-dik.
2—Taen.	12—Taen-a-dik.
3—Tedderte.	13—Tedder-a-dik.
4—Medderte.	14—Medder-a-dik.
5—Pimp.	15—Mimph.
6—Sethera.	16—Yan-a-mimph.
7—Lethera.	17—Taen-a-mimph.
8—Hovera.	18—Tedder-a-mimph.
9—Dovera.	19—Medder-a-mimph.
10—Dik.	20—Gigget.

THE END.

" It is always worth while to note down the erratic words or
phrases which one meets with in any dialect."

NOTES.

" They may throw light on the meaning of other words, of the
relationship of languages, or even on history itself."

James Russell Lowell.

Note 1.—ALLAY.

The contention of several competent critics that this is but a form of " Ah'lay," or " Ah'll lay," was met by another from those intimately associated with the dialect, and who only recognise one word in actual use, and that with more of the sense of assurance or support, than of defiance or daring conveyed in it. The vernacular form of the sporting phrase " Ah'll lay " is " Ah'll lig."

Note 2.—APODE.

Said to be only a form of *uphold*, *uphod*, *uphoad*, and as such should be so spelt. On the other hand it is held by dialect speakers that *apode* is nearer the true pronunciation. A native of North Westmorland would say of a contentious person, " he can uphod his awn," another would reply " Aye, Ah'll apode it." Of a great eater it would be remarked, " he's at a ter'ble gurt uphod," and for answer would get " Ah'll apode it he is." The *uphod* of one may be his parish ; of an institution or establishment it is said to be great or small ; and one may be the *uphod* of many things, in this sense *apode* can be claimed to have a distinct use.

Note 3.—CANTLAX.

Many words in this collection are said by eminent authorities to be mere fabrications—that is, they are made up words by those using them and have no derivation, history, or standing. This may be of that class. It is included, because to the compiler it appears to be one of a numerous family that carry with them the impression they are intended to, directly and in the tone in which they are used. No information has been obtainable beyond the fact that the word was used in one or two instances by genuine Lakelanders, of whose dialect no question could be raised.

Note 4.—CART, DURT, MURT, WURT.

Cart (cannot), *Durt* (do-not), *Murt* (must-not), *Wurt* (will-not), like " garn," met with strong objections from various writers qualified to speak of the dialect in their districts. On the other hand a number of persons supported their inclusion as being genuine forms in common use. It may be the safer course to give them, and say they are in the dialect in a restricted sense so far as radius and usage go.

Note 5.—CROWFOOT.

Apart from the use of Crowfoot as a botanical term for the genus *Ranunculus*, it is also used to signify the bloom of the purple Orchis in North Westmorland. As a term for Ranunculus or butter-cup, it is seldom, if ever, used in that district.

Note 6.—DEAL.

(*i.e. Dale*) in the vernacular would be pronounced in all cases, as if it were *di-yal* with emphasis on the last syllable. Such a form, however, would be sufficient to terrify even the most hardened reader unless prepared by a previous study of phonetics.

Note 7.—DOGBERRY.

Given originally as the mountain ash and objected to. From the correspondence it would seem to be safe to conclude that the berry of the rowan or mountain ash, is in some districts termed " dogberry," and in the same locality the word is used for another shrub, the water elder and its berries. Perhaps the use of " dogberry " for the former may be due to carelessness in the matters pertaining to berries that have small culinary value.

Note 8.—FAMISH.

On the ground that a mere local peculiarity of pronunciation does not constitute a dialect word, forms like *famish* were objected to. They are included to demonstrate a feature in the dialect where adjectives of a wholly inappropriate character are regularly used, *e.g.* " A bonny auld shindy," " A cruel fast trotter," " A stinken good mind," " A famish gurt leer," " A glorious good spree," " Henious good roads,"—*vide Combriana*, " A ter'ble romantic way o' throwin' oot his feet," " Sanctimonious as a ho'perth o' treacle in a three quart jug," " Ah's ter'ble fain ye've come," " A tremendus habit o' winkin at yan," " Parlish dear," are common enough and seem to indicate a peculiarity worthy of noting.

Note 9.—GARN, GOING.

This form met with strong objection. It appears in a Dialect Essay in the West Cumberland Times, Christmas No. 1897, and several correspondents vouched for its presence in the West Ward of Westmorland. It will be safest to regard it as an extreme form and one well illustrating the difficulty of rendering the dialect phonetically with ordinary type.

Note 10.

In many words involving technical details, and others bordering on what some readers might regard as coarseness, no attempt has been made at defining or illustrating, but in dealing with them it has been the aim to do it in the same colloquialism a native would affect. In a work of the present character this latter purpose cannot fail to be as interesting as details which would require many sciences to confirm.

———

PRINTED BY T. WILSON, KENDAL.